MÉTAMORPHOSES DEYROLLE

図説
異形の変態
幻想動物変異百科

JEAN-BAPTISTE DE PANAFIEU
ジャン=バティスト・ド・パナフィユー
CAMILLE RENVERSADE
カミーユ・ランヴェルサッド
【画】

河野 彩
【訳】

原書房

はじめに

デロール代表
ルイ・アルベール・ド・ブロイ

ショーヴェ洞窟の洞窟壁画に描かれたバイソン女を知っているだろうか?　ときに狩られ、ときに崇められた野生動物の力が人間に転移した呪術的なイメージを描いたものだ。この絵は、人類史上初めて発見された動物への変態の絵だといわれている。このような神話や変態は、3万年以上前から僕たちの歴史に存在していたのだ。

複雑なプロセスを経て変化していく自然界の様相は、語り部にインスピレーションを与え、分別を取り払って風変わりな物語を生み出すきっかけになったに違いない。年長者は火を囲んで、聞く人を魅了したり怖がらせたりする物語を子どもたちに語った。

動物に変態した人間は、元の姿に戻る場合もあれば、一生そのままの場合もある。こうした変化について学ぶためには、変態の超自然的メカニズムを解き明かしてくれる案内役と、イメージや比喩に富んだ説明が必要だ。

本書では、ジャン=バティスト・ド・パナフィユーが、すべての起点であるオリンポス山の麓に読者諸君をいざなう。オリンポス山は、アトラスの弟であるタイターン族のエピメテウスが動物をつくった場所だ。エピメテウスはうかつにも動物に美徳をすべて与えてしまったので、人間に与えるものが何も残らなかった。弟のプロメテウスはこれを悲しみ、エピメテウスの失敗を取り返すべく、神々に匹敵する知性を人間に与えた。おかげで人間は傲慢になった。傲慢からくる無分別のために、僕たちの祖先は神々と競い、神々を越えようとした。それによって神々の怒りを買い、ガイアが制御していた天地創造以前の混沌を引き起こす危険があったにもかかわらず……。

僕たちは、自らの「財産《オイコス》」の一部であるこうした神話に、特異で奇妙な表現法を結びつけなくてはならない。その表現法とは、デロールの図版だ。

普遍的な存在ともいえるデロール［19世紀にジャン・バプティスト・デロールによってパリに創設された剥製と標本の店］は、本書を読む旅のあいだ、新たなオリンピア山になるだろう。オウィディウスが語った物語、魔法による変態、一時的な変態、グリム兄弟やカフカやベアウルフや他の優れた頭脳の持ち主の想像を超えた永続的な変態のルーツを理解しようとする人や進化を考える人は、タイターン族と神々が入った「驚異の部屋」にアクセスすることができる。

カミーユ・ランヴェルサッドの絵の魔法によって、ダフネ、メリュジーヌ、狼男、クモ女、カエルの王子さまが現代社会に蘇った。

驚くほど多様性に富んだ「動物への変態」はどれも、何一つ偶然のなせる業ではない物語を語ってくれる。たとえば、人間が狼男に変身するときにたどる超自然的な経緯もその1つだ。一時的に獣と人間が体内で共存する半獣半人になる過程で、嗅神経や耳が現れ、体に毛が生え、骨格が変わっていく様子……。子どものころに誰もがその仕組みを知りたいと願い、教えてと親にせがんだことだろう。

本書の図版は、それぞれの研究標本の内部の進化の過程や複雑さを理解する際の手解きとなる。デロールは幻の生き物を生み出し、幻の生き物だけを集めた百科事典をつくった。変態の神秘を把握するのに役立つ分析をした百科事典だ。本書のおかげでデロールは、科学の概論書が述べるように、超自然的な学問の秘密を「科学的に」解き明かし、体内の器官が変化していく段階を詳細に述べられるようになった。

ジャン=バティスト・ド・パナフィユーとカミーユ・ランヴェルサッドは、絵とユーモアに富んだテキストの力を合わせ、デロールの地球上の生き物の姿を描いた永久不変のコレクションに新しい作品を加えてくれた。

互いに結びつく運命にある人間と動物は、危険な遺伝子交配やその後起こりうる限界の問題を想起させる。このような生命の規範に背くことは、かつてないほど自然のバランスを保つ必要があるということと、自然や形態学や未完成で進化を続けている人間の生物学を理解する必要があることに気づかせてくれる。

デロールの超自然的な図版は「トランスヒューマニズム」の形をした崩壊を予告するカッサンドラの役割を果たすだろう。

これは果たして変態なのか、それとも進化なのだろうか?

デロール　1831年設立

MÉTAMORPHOSES
DEYROLLE
Contents

第3章

一時的な変態

第4章

完全な変態

第5章

緩慢な変態

序章
変態の力

「役割の始まりは天運の終わりと混同される。
薄闇は曙であると同時に黄昏でもあり、
つねに2つの意味を持つ。
森羅万象と呼ばれる見事な蛹は、
イモムシが眠りにつくときであると同時に蝶の芽生えを指し、
いつの時代も変わらずに震えを感じさせる。
唐突に終わるものなど何もない。
１つが終わるとき、何か別のことが始まる。
すべての死は誕生なのだ」
ヴィクトル・ユゴー『哲学的序文』

人は誰しも自分以外の体になることを夢見る。もっと大きく、もっとすばらしく、もっと美しく、あるいは自分とは違う性別の体になりたい、と。鳥やイルカや馬になるのを夢見ない人はいない。文学や映画はあらゆる種類の変態であふれている。変態が２１世紀の若者の心をとらえて離さないように、古代のギリシャ人やローマ人も人間が変態する様子を想像して遊ぶのが好きだった。このような遊びはアジア、アマゾン、グリーンランド、サハラ砂漠など世界じゅうで見られ、おそらく最も古い例は先史時代まで遡る。

宗教的な示唆に富んだ説話、象徴的な寓話、滑稽なファンタジー、博物学の描写など、動物への変態という驚くべき現象は、神話や妖精物語や動物学の書籍に見られる。神が動物の姿になったり、人間が白鳥や雌牛になったり、イモムシが蝶の姿で生まれ変わったりというように、どの場合も不可逆的な経路（ただし自然の法則に従わない神々は除く）を通って性質を変える。

変態した生き物はいままでの生き方を捨てて、別の生き方を見つける。境界線を越えることは、世界を別の角度から知覚するのと同義だ。空高く飛んだり、海の底へ潜ったり、姿を見られずにあちこちに忍び込んだり、大きなネコ科の生き物の力を持つようになったり……。しかも、これらは変態が約束するもののほんの始まりでしかない!

ある生き物に変化するということは、その生き物も自分と同じ宇宙、同じ生命の世界に属しているのを認めるということでもある。人間が動物の姿になることは、人間と動物との見えないつながりを予期させる。変態してどんな種類の動物になるのかは、その変態が何を投影しているのかを知るのに重要だ。動物のなかには、象徴として大きな役割を持つ種類もいる。だが、その役割は国や時代によって変わる。

変態の結果とは無関係に、変態のプロセスそのものが重要な問題を引き起こす。私たちは生きている限り姿を変えていくが、変化はときにとても早い。誰しも青年期の記憶はきわめて強烈に残っているに違いない。青年期だけで、その後の数十年に匹敵する感情や思い出にあふれているだろう。だが、人間がイモムシと同じように根本的に姿を変えたらどうなるのだろう?　変態とは別の生、別の形で生きることへの通過儀礼だ。変態は、ライフコーチが「生き方を変えて、自分自身の翼で飛び立つんだ!」と言うのと同じくらい宗教的な提案をしているのだ。イモムシが蝶に変身するのならば、人間の変態はどこにたどり着くのだろうか?

神話と自然

「空を飛ぶ鳥が、ミミズや羽虫やコガネムシを食べてつねに喉をいっぱいにしていなければならないとしたら、窓の外を眺めて鳥になって空を飛びたいと願う少女はいるだろうか?　だが驚くべきことに、少女は鳥になると人間だったころの嫌悪感を忘れてしまう。翼を動かしていると、人間の娘だったときのせまい了見が消え去るのである」
アンリ・ミショー「行動の代わりのノート」『パサージュ』

「いまや真実は、おとぎ話よりも魅力と驚異にあふれている。毛むくじゃらのイモムシが美しい蝶へ変態する様子は、フィロメールがナイチンゲールに変身するよりも驚きは少ないだろうが、おそらく目に心地いい」
ベルナルダン・ド・サン=ピエール『自然の調和』、1815年

狭義では「変態《メタモルフォーゼ》」という単語は「変化《トランスフォーメーション》」と同義だ（前者はギリシャ語、後者はラテン語に由来する）。一般的に使われる際には、変化はちょっとした変動、変態はさらにかけ離れた姿になることを指す。変態は新しい性質への入り口、つまり生まれ変わることを予期させる。輝かしく、まるで魔法のようだ。しかし中世末期まで、変態という言葉はオウィディウスの有名な『変身物語（Métamorphoses）』を指す意味でしか使われていなかった。『変身物語』は1世紀に書かれたラテン語の長編詩で、ギリシャ由来の神話や伝説を集めたものだ。中世の物語で人間が動物に変身するときは、「変態」というよりは「変貌」を示す「muance」、「mutacion」、「transmutation」、「transformation」といった単語が用いられた。

博物学者も17世紀まで変態という単語は用いなかった。1590年にイギリスの医師トーマス・マフェットが、著書『昆虫や小さな動物の劇場［*Insectorum sive minimorum animalium Theatrum*］』のなかで、昆虫は「変貌（transmutation）」（原文はラテン語）すると形容している。フランス語では、ヤン・スワンメルダムの『昆虫の自然史［*Histoire naturelle des*

Insectes]』のフランス語翻訳版(1669年)に変態という単語が見られる(スワンメルダムは変態という考え方は受け入れておらず、「いわゆる変化」と述べていたにもかかわらず)。

2000年のあいだに、オウィディウスの『変身物語』は文学、絵画、音楽、舞踊、詩に浸透していった。その影響はマキャヴェッリ、ラ・フォンテーヌ、フェヌロン、リュリ、ダ・ヴィンチ、ピカソにまで及ぶ。芸術家や作家や哲学者は、ときには人間を魅了するために、ときには人間を救うために、また多くは人間の道徳違反や思い上がりを罰するために、自らも姿を変える全知全能の神々の手で動物や石に変えられた人間の物語について議論を重ねてきた。変態を魔法の技だと考えて現象自体に興味を持たなかった古代ギリシャの作家とは対照的に、オウィディウスは変態の様子を詳細に記した。まるで人間の体の器官が動物や植物のパーツと入れ替わっていく場面に彼が居合わせたかのように。オウィディウスは、変態にそれまでなかった具体性を与えたのだ。

オウィディウス以外の古代の作家も同じテーマを扱った。たとえば2世紀に、古い物語から着想を得て『変容』や『黄金の驢馬』を書いたアプレイウス。ケルトやゲルマンや北欧などさまざまな原典に由来する、庶民に広まっていた昔話。語り継がれた昔話は、シャルル・ペローやドーノワ夫人やグリム兄弟の手で洗練され、より文学的な形で広まった。『千夜一夜物語』やインドの叙事詩、その他世界各地にある神話など、ヨーロッパ以外の地域で生まれた物語も忘れてはならない。

19世紀には、吸血鬼と狼男という2つのテーマが成長を遂げた。中央ヨーロッパの古い信

その他の変態

本書で取り上げなかった形の変態も紹介しておこう。『変身物語』では、カリストが(熊になったあとで)オオグマ座になった。聖書では、神がモーセの杖を蛇に変えたり、ロトの妻を塩柱に変えたりしている。ブルターニュの民話には、人間や妖精や悪魔が石にされる話が数えきれないほど出てくる。カボチャが馬車になるのもそうだ(あとでカボチャに戻ってしまうが)。また、錬金術のおもな目的の1つは金属の変貌だった。錬金術師たちは、蛹が蝶になるように金属を変態させようと試みた。カトリックの教義に見られる、聖別されたパンをもとの形を残したまま「実際に」キリストの血肉に変える実体変化も、変態の一種だと考えられる。だが、本書で取り上げるのは、人間およびその他の生物のみにとどめておく。人間が介在しない変態は、一種の驚異であり奇跡だ。だが、そうした奇跡は、妖精や神々の力を示すものでしかない。反対に、人間から動物への——あるいはその逆の——変態は、人間の本質を明らかにするものだ。

仰に由来する吸血鬼は、少しずつ文学で取り上げられ、やがて映画にも浸透していった。狼男もテレビシリーズになる前から変態のジャンルとして市民権を得ていた。狼男の歴史はオウィディウスの『変身物語』に出てくるリカオン王まで遡る。16世紀以降の書物では、狼男は魔法使いと敵対して戦う存在として描かれた。歴史家のレオン・メナブレアは、1846年に「狼男に関する書物を集めたら、ラクダ10頭分の荷になるだろう!」と述べた。今日でも、カフカの『変身』しかり、イヨネスコの『犀』しかり、マリー・ダリュセックの『めす豚ものがたり』しかり、変態は多彩で力強いテーマだ。

だが、変態を扱う作品が急激に増えるなかで、動物そのものの性質が無視されて、単なる題材や非常に人間的な精神性のシンボルになっているケースもときおり見られる。「そしてカエルは王子さまになったのです!」といったような魔法による変態や、「ゼウスはイオを雌牛に変えた」といった、オタマジャクシがカエルになったり蛹から蝶が現れたりする自然史の論説からかけ離れた例がこれにあたる。

しかし、こうした2つのカテゴリーにも隙がないわけではない。昔話では、主人公が変態した生き物の新しい性質や欲求に引きずられている。たとえば、鹿に変態した姫が鹿の食べ物である草をおいしく感じ、最初はそれに驚いたという描写がある。反対に、現実に起こる観察可能な変態が、人体の変化や再生を論じるきっかけになることもある。変態は自然史の他の分野と同じく、似ているところを探すゲームにぴったりで、変態が自然である以上、わかりやすい寓意を生むこともできる。蝶になる蛹は、コナラの木になるドングリと同じように、人間の変化を示すありふれたメタファーである。

自然史の分野では、変態は長年にわたって強い関心の的だった。変態の定義は見た目よりも複雑だ。蝶、蜂、コガネムシなど、幼虫からゆっくりとしか成長しない段階を経て成虫になる昆虫の変態はわかりやすい。蛹や若虫といった中間形は、幼虫と成虫のあいだのとても奥深い変化を可能にする。このタイプの変態は容易に説明できるだろう。このように段階的ではなく継続的に変化が起きるオタマジャクシからカエルへの進化も、動物学者は変態と認めている。水生生物から陸生生物に変化するカエルのような例は、「完全な」変態をする昆虫と似ている。

実際のところ、動物や植物は成長とともに姿を変えるので、すべての成長は変化だといえる。いくつかの単細胞生物を除けば、起源である卵細胞の形を保った生き物はいないので、生き物の成長には変態が不可欠だ。多くの場合、卵の内部もしくは外部で、非常に顕著な変化が見られる。たとえば、甲殻類の多くは孵化後に数回変態する。だが、甲殻類の幼生は外洋で孵化するうえ、顕微鏡を使わなければ見えないため、長いあいだ知られていなかった。人間の胚も乳児とはだいぶ形が違うので、その成長は変態と呼んでいいのではないだろうか。

しかしながら、変態という言葉は、卵の内部や母親の体内ではなく、自由な状態で根本的な変化をする動物にのみ用いられる。脚が生えたり、翼が生えたり、もしくは器官がなくなったり、構造が変わらなくては変態とはいえない。多くの場合は変化にともなって生活様式、つまり行動も変化する。変態する種の大部分が、あらゆる形態を変える。かつては変態後の動物が「完璧」だと考えられていて、幼虫の地位は低かった。つまり、蝶に比べてイモムシは劣ると考えられていた。だが実は、幼虫が成虫よりも複雑な構造をしている場合もある。たとえば、変態後の寄生虫には卵胞や精巣がない。

変態は、蛹や、それよりは速度が遅いが甲殻類の脱皮のように、段階を経て起こる。そもそも脱皮と変態はよく似ている。蟹は、蛹から蝶が出てくるように古い殻を脱ぎ捨てる。脱皮と変態はしばしば比較されるが、複数回のプロセスを経ているものの、蟹の一生を通じてみれば、脱皮はまさしく変態だといえるだろう。

反対に、動物に見られる季節性の変化は、ときに派手ではあるが変態とは呼べない。鹿の角が抜け落ちては生えてきたり、雄のトゲウオの体が赤くなったりするような、季節性の変化は繁殖と関係がある。ただし、繁殖のために海へ戻るまでのわずかな時期に見られる、鰻の体色の変化に関しては、生物学者は変態という言葉を用いる。鰻の変色はささやかな変化だが、オタマジャクシの変態と同じく甲状腺ホルモンの作用だからだ。甲状腺ホルモンが出ると、鰻は池を出て川をめざして陸地を進む。鹿の角が落ちるのに比べて地味ではあるが、こちらは不可逆的な変化だ!

同じく、季節の変化や体の成長にともなって起こる毛並みや羽毛の変化も、動物学的には変態と呼ばない。体の構造にはまったく関与しない見た目の変化は、レダを誘うためにゼウスが白鳥に擬態した例や、北極地域の神話で見られる、白熊が帰宅するときに皮を脱いで人間に戻るといった例と似ている。昔話をつくった人々にとって、擬態は一時的な変態に見えたのだろう。

同様に、動物学者は性転換も一般的に変態だと認めていない。性転換は魚類によく見られる変化で、ときには外見まで変わる。たとえば、ヨーロッパ沿岸に生息するレインボーベラという小さな魚は、雄になると体がピカピカ輝くようになる。くすんだ色の雌が平凡なレインボーベラと呼ばれるのに対し、雄はロイヤル・レインボーベラと呼ばれる。しかし、『変身物語』のなかでは、男性から女性への変化はまさしく変態だ!　共通点がいくつもあるにもかかわらず、変態という単語は自然界と文学界では違う意味で用いられているのである。

変態の形

「あなたは神を、さまざまな形で知らぬ間に姿を現す魔術師だと思うか?　あるときはそのままの姿で存在し、あるときは見た目を変え、またあるときは私たちを欺いて幻影を見せる亡霊だと思うだろうか?」

プラトン、紀元前4世紀

「人間の変化は通常、元の外見に何かが付け加えられる。しかし自然界の生き物は、変態によって何かを脱ぎ捨てていく。動物が裸であるのに対し、人間は裸ではないからだ。同じく、自然が純粋で嘘偽りのない真実を示しているのに対し、人間の社会は悪癖と嘘を教えている。人間は、姿形を偽るたびに堕落し、品位を落とすものだが、動物は変態を繰り返すことで完璧な頂へ近づいていくのである」

『自然史辞典』、1817年

博物学者の変態に関する定義を受け入れると、いくつもの疑問が浮かぶことだろう。変態の原因はなんなのか?　何が刺激となるのか?　変態はどのように起こるのか?　変態後はどうなるのか?　言い方を変えれば、変態には原因と始まりと終わりがあり、あるプロセスに従って起こるということだ。

変態の原因が体内にある場合もある。たとえば、抗い難い力や生き物の単なる通常の成長による力などだ。しかし、多くの変態は、魔法や神や悪魔などの外的な力によって起こる。オウィディウスが描いたオリンピアの神々は、企てのため、込み入った復讐のため、あるいは単なる色欲のために、しょっちゅう人間を変態させた。たいていの人間は罰として変態させられたが、なかには神の失敗を償うためや、他の神の小細工から人間を守るために変態させられた人もいる。

人々がどの程度、変態の現実性を信じていたのかを知るのは難しい。おそらく、「いまはあまり起こらないものの昔は実際にあったこと」だと考えていたのではないだろうか。今日のシベリアのシャーマンも、「昔のシャーマンは驚くほどの力を持っていた。今日ではもはや驚異的な変態は起こせない」と認めている。だが、ある種の変態は、多くの人にとって非常に現実的なものだった。特に魔法による変態がそうだ。キリスト教の聖職者はこれに激しく反対し、神を冒涜していると責め立てた。彼らは、魔法を使う人間の向こうに彼らを操る悪魔の手を見たのだ。魔法使いが持っている技はさまざまだが、軟膏や薬草を使った技が多い。

狼男の信仰は、カトリック教会の聖職者までもが信じるほどに広まっていた。リカントロピー（狼化妄想）はもともと、悪魔の仕業だと考えられていた。ただし、単なる不運からリカントロピーに冒される例も稀に見られる。たとえば、7人続けて男が生まれた家では、7人目の子は、両親が対抗措置を取らない限り狼男になると考えられた。措置の内容は時代によって異なる。中世の狼男に関する記述は、満月の作用にほとんど触れていない。狼男と満月が結びつけられるようになったのは19世紀以降のことだ。文学に見られる変態の引き金の例はとても豊かで、妖精の呪いもさまざまなパターンがある。たとえば、デジレ姫は16歳まで日の光に当たってはならないとされていた。しかし約束を守らずに日光を浴びたので、姫は鹿になってしまった。グリム童話では、姫がカエルを壁に投げつけたことが、カエルをもとの姿に戻す引き金になった。イヨネスコの戯曲『犀』では、病気のせいで市民がサイに変身していく。カフカの『変身』に出てくるグレゴールの場合は、虫に変態する理由がまったく説明されていない。

博物学者にとって、自然界の変態の経過は依然として興味深い観察対象だった。ヤゴが若虫になり、殻をゆっくり脱ぎ捨ててトンボになっていく様子。オタマジャクシに新しい器官が現れて古い器官が消えていく一連の経過。一方、神話における変態は、コートを脱ぎ捨てるように姿が変わる。時間がかからない一方で、変化そのものは単純だ。たいていの場合、カエル、白鳥、熊、狼に姿を変える。

17世紀初頭、リカントロピーに関する事件の予審を担当した裁判官のピエール・ド・ランクルにとって、狼男への変態は悪魔的な変化だった。狼と人間は大きさがそこまで変わらないので、狼男に変態すると、体内の多くの物質が変化の影響を受けて、最終的に本物の狼になってしまう。これが猫男だったら、ここまで大きな変化は起こらないだろう!　元の姿と変態後の姿の質量と形が近いほど、変態をイメージしやすくなる。つまり、熊と狼であれば、人間から変態しても比較的自然な流れに思える。昔話にはカエルや鳥への変態がしょっちゅう登場し、ときにはハエに変態する話までもあるが、質量の問題に触れた話は少ない。

ハエに変態する場合、内骨格から外骨格になるという別の問題も生じる。構造的にも科学的にも非常にややこしくなるのだ!　スパイダーマンが壁面を移動するときに吐き出す白い糸にはたんぱく質が不可欠だが、そのたんぱく質はどこでつくられているのだろうか?　自然界にも、獲物を取るときにネバネバする糸を吐き出す生き物がいる。カギムシといって、足がたくさんある熱帯性のミミズの一種だ（カギムシの体長を見ればわかるように、吐き出すといっても数センチメートルだが）。カギムシは捕らえた獲物を食べる際に糸もいっしょに食べてしまうので、また新たに糸をつくることができる。しかしスパイダーマンがカギムシと同じ方法で糸を補給しているとは考えにくい。

ときおり、変態は魔法のように一瞬で起こる。王子になるカエル、ある朝目が覚めたら巨大な虫になっていたカフカの『変身』の主人公……。自然界でこれに相当するのは、むしろ擬態だ。たとえば、尾羽を広げて形と色を変える孔雀、雌を誘うために小さな2つの白い目とサファイアブルーの大きな口のある漆黒の顔のような姿になる極楽鳥。当然、これらの変化には可逆性がある。

ゼウスの手で雌牛に変えられてしまった哀れなイオや、満月の夜の狼男のような変態は、段階的に起こるので描写しやすい。オタマジャクシからカエルへの変化や、動物の特徴が急には現れない映画『ザ・フライ』の主人公のように、変態がゆっくりと進む場合もある。繭に隠されて変態が起こるときは、最終的にそのなかから何が現れるのかは最後までわからない。

ときには、変態によって、変態前の人間の性格が暴かれることもある。リカオン王の変態では、狼に変態したことで王の持つ残忍さが明らかになった。これはローマ・カトリック教会がオウィディウスの『変身物語』を「教化するために」用いた手段の1つだ。オデュッセウスの部下の船員は、暴食ゆえに豚に変えられた。このような変態の方向性を決めるのに重要な役割を果たしたのが、中世の象徴学だ。たとえば、鹿は再生の象徴なので（毎年春になると角が生えてくるため）、魔術師マーリンの鹿への変身は好意的に受け止められ、メリュジーヌやハリー・ポッターに見られる蛇への変態は悪魔の憑いた印であるために受け入れがたいとされた。

一般的に、変態前の人間の性格や素質は変態後も保たれる（少なくとも部分的には残る）。オウィディウスによれば、イオは牛になってもなお美しかったし、アラクネーはクモになっても機織りが上手だった。鹿になった姫は草を食べるようになったが、行動を決めるロジックは人間のままだ。そもそも人間としての意識が消えてしまったら、変態のおもしろさが消えてしまうではないか。動物の群れに混じった動物になったら物語は続かない!　変態後の動物の種によっては、短所もあるが長所がある場合もある。だがかつては、獣と同じレベルまで品位を落とすことは否定的にとらえられていた。

「自分は仕立て屋やパン屋の子孫ではなく、熊や狼の子孫なのだと信じたがるヨーロッパの王族は多いのではないだろうか? だが私には、熊や狼よりも仕立て屋やパン屋のほうがずっと価値があるように思える」
ジェルマン=フランソワ・ド・サンフォワ、1757年

輪廻転生は、変態の特異な形だと考えられた。しかし、ときに魂が変態前の姿を忘れてしまうことは、輪廻転生説の弱点の1つだった。体から体へ、ある生き物から別の生き物へと世代を超えて転生する魂がよい方向へ向かうためには、過去の人生を覚えておかなくてはならないはずだ。善へ向かうことこそが、転生を繰り返す魂の旅のおもな目的だからだ。

忘却をともなうもう1つの変態は、ゾンビ化である。ゾンビといっても人を食べる生ける屍のような現代のゾンビではなく、ブードゥー教の魔女が捕らえた人をカタレプシー状態にしてつくった古典的なゾンビのほうだ。後者のゾンビは、記憶も自らの意志もない奴隷である。

カエルはオタマジャクシだったことを覚えているのだろうか? 動物の世界でも問題にはなるものの、動物行動学者はさしあたりこの問いの答えを知らない! これは変態する動物の大半が、行動の大筋を遺伝的に定められている昆虫と甲殻類だからだろう。

変態の意味

「人間はある種の女性の仕業や悪魔の力によって、狼や馬に似た獣に変身させられることがある。ただし、獣の愚鈍な知性ではなく人間らしい理知的な知性を保ったままなので、元の姿に戻ることができる」
ヨーハン・ヴァイヤー、1569年

多くの場合、変態した本人にとって変態の原因は明らかだ。しかし読者にとっては、変態の意味がわかりにくい例もある。『変身物語』に出てくる変態のいくつかは、神々が介入している人間の世界を説明するのに役に立つ。たとえば、ダフネの物語は月桂樹の由来と、なぜ月桂樹がアポロンの象徴なのかを教えてくれる。父親を愛してしまったがために永遠によい香りの涙を流さざるをえなくなったミルラの物語は、没薬《ミルラ》の由来を教えてくれる。しかし、人間(もしくは神々)の激しい情熱、権力欲、名誉、愛情、もしくは性的な問題と関係する変態もある。ゼウスの変態は、暴力的度合いはそのときどきで違うものの、ほとんどが相手をその気にさせるためのものだ。

昔話も同じだ。精神分析的な解釈によると、昔話には象徴的な役割があるという。昔話は、加入儀礼や成人にともなう危険や禁忌を強調して、子どもから成年への経過を描写していると解釈されることが多い。この点から見ると、昔話で起こる多くの変態が結婚や性生活と関係しているのも当然だろう。グリム童話では、カエルが金の鞠を見つけた見返りに、王女のベッドでいっしょに眠らせてほしいと頼んでいるし、ドーノワ夫人の昔話『白い猫』では、王子が猫の頭と尻尾を切って血を流させると、その猫が女性に姿を変える。

1つ1つの変態が近親相姦への警告を示していると主張する人さえいる。父親に強いられて動物と結婚した若い娘がいくつかの試練を乗り越えた結果、動物だった夫が人間の姿を取り戻すというのがよくあるパターンだ。この場合、結婚相手の動物性は、娘と相手が別の一族の出身であること、血がつながっていないこと、近親相姦を避けるためには夫との差異を受け入れなくてはならないことを示していると考えられる。この解釈は根拠が薄いために、ときには正反対の解釈をされることもある。こちらの解釈によれば、動物の姿をした夫は人間の本質的な残虐性を象徴していて、その残虐性を遠ざけるのに社会的な儀礼が必要だとされる。つまり、変態は人間自身が隠し持っている動物性の象徴だというわけだ。

中世のキリスト教にとって、変態は異教の迷信だった。生き物の形を変えるのは、それを創った神のみに許されたことなので、変態は神への冒涜と同義だった。この立場は中世以降のキリスト教徒の作家にも受け継がれた。「誤りと嘘」と戦うために『キリスト教的変態［*La Métamorphose chrétienne*］』（1545年）を記した牧師のピエール・ヴィレは、オウィディウスやアプレイウスの著書を「嘘つき詩人」の「下劣な言葉」と評した。ヴィレからすれば、『変身物語』は「神が自然界にもたらしたあらゆる理性と秩序に反いて」いた。変態は「知能の衰弱か、悪魔が見せる幻」でしかないと彼は述べた。

当時、特に神学者が関心を持っていたのは、魔女が猫やヤギに変態するという話だった。ヨーハン・ヴァイヤーというオランダの医師は、魔女は実際に変態することはできず、悪魔にそそのかされて話をでっち上げたに過ぎないと言い張った。ヴァイヤーは、魔女が変態したという話は「体液の乱れ」と「過度の妄想」のせいだと主張した最初の1人でもある。ヴァイヤーによれば、悪魔は変身できるという幻を魔女に信じさせることしかできない。ヴァイヤーは、魔女の容疑をかけられた人に厳しい罰が与えられることに反対し、彼女たちは「悪魔に魅入られた犠牲者」なのだと述べた。

反対に、同じく16世紀の悪魔学者兼法律家のジャン・ボダンは、魔女は本当に変態でき、彼女たちが拷問されて白状したことは事実であると述べた。ボダンは、魔女が変態するところを見たと証言する人は数多くいるので単なる想像ではないと主張した。「もしも人が、バラを桜に、リンゴをキャベツに、鉄を鋼に変える力を持っているとしたら（中略）サタンが人の見目形を変えてもおかしいと思わないだろうか」。ボダンはヴァイヤーの法的な主張を嘲笑し、異端のヴァイヤーとあだ名をつけて、悪魔の手先だと糾弾した。当時ヨーロッパじゅうで数万人の魔法使いと魔女が火炙りにされていたことを考えると、軽々しくできる非難ではない。

ローマ・カトリック教会の聖職者の大半は、魔女が動物に変身したり、同じ方法で隣人を動物に変えたりできるという迷信を信じていなかったにもかかわらず、昔話は宗教的な規定を免れ、白鳥女や狼男がたくさん出てくるキリスト教以前の古い伝説を保ちつづけた。昔話に人間を誘惑する悪魔と聖なる守護者を登場させて、その時代の価値観に合わせてしまうことはあったが……。

いまから2450年前、ヘロドトスはギリシャの近くに住む民族について次のように記した。「ネウロイ人は1年に1度狼に変身し、数日で人間に戻る」。文脈のなかで、ヘロドトスは「このようなつくり話」をするギリシャ人やスキタイ人を馬鹿にしている。おそらくこの「つくり話」は、ネウロイ人の青年が狩りに必要な捕食者としての技を得るために、狼の皮をかぶる通過儀礼を、数人の作家がデフォルメして描写したのだと考えられる。

ヘロドトスの話は、17世紀以降にヨーロッパ人旅行者によって伝えられたシベリアの呪術的な意味を持つ儀式を連想させる。呪術師にとって、仮面や動物の毛皮は、自らの意識と交錯する別のアイデンティティをまとう手段だった。機会に応じて呪術師は動物のように振る舞った。他の変態とは対照的に、この種の変態では姿形は変わらず意識のみが変わる。イヌイットの狩人が白熊を狩る前に贈り物を贈るとき、狩人は白熊とのあいだに類似点、さらには親近感を感じている。熊と人間は、同じように狩りをして獲物を食べ、立ち居振る舞いも似ているからだ。熊から人間、人間から熊への移行が双方の性質を引き立たせるほどに、両者はよく似ている。

1862年に『人間と動物の変態［*Métamorphoses de l'homme et des animaux*］』を書いた作家のアルマン・ド・キャトルファージュは、動物の世界におけるさまざまな形の変化を分類した。キャトルファージュは、卵のなかで、あるいは生まれる前に起こるものを変化と読んだ。そして変態という単語は「孵化後に起こり、全体の形や個体の生活様式を根本的に変える変化」のみに用いた。キャトルファージュは、「子孫に引き継がれる変化」を表す系統形成（généagenèse）という新しい用語を提唱した。この語はラマルクの生物変移説や、ダーウィンの論説の一環として自然学者が使いはじめた進化という単語とは対立していた。

変態と進化の関係は新しいものではない。だが、この問題はときどき思わぬところで顔を出す。たとえば、1996年に売り出されたゲームのポケットモンスターは進化論を広めているとして糾弾され、サウジアラビアやカンザス州の小学校では禁止された。たしかにポケモンはゲームの過程で「進化」していくことで有名だが、実際は変態しているだけなのだ!

ゲームではなく「現実」を見てみよう。両生類の変態は、数百万年かけて水生から陸生へ移行した（シーラカンサス目の）魚類の進化を個体レベルで反復しているとしばしばいわれる。シーラカンサス目の魚は、デボン期（4億1900万年前〜3億5900万年前）に陸生へ進化した。ヘッケルはこの考えを「存在論が系統発生学に降伏した」と一言でまとめている。しかし、これはカエルのような動物のケースの変態を要約したに過ぎない。問題になっている魚類はオタマジャクシとは似ていないし、初期の両生類はカエルとはまったく似ていない。ところが、まさに個体レベルで進化を反復するという説を体現する生き物がいる。

ササウシノシタとイシビラメのような平べったい魚は、頭の片側に2つの目がつき、左右非対称の体をしている。ヒラメの仲間は海底に腹をつけて大半の時間を過ごすため、この体のおかげで暮らしやすくなった。だが幼魚は、両側に目玉があり、他の魚となんら変わらない対称形をしている。水中で暮らしている幼魚が、両生類のように甲状腺ホルモンの作用で変態するのだ。まるで片方の目が移動して、体の反対側にやってくるように……。はっきりと目に見えるこの動きは、実は頭部と体が別々に成長した結果である。目と脳はつながったままなので、目の移動によって脳にも変化が起こる。同じように、目の移動は頭部の骨と筋肉にも影響する。変態のあらゆる中間段階に相当する魚の化石が古生物学者によって発見されていて、化石からは個体レベルでの変態が起こったことが見て取れる。

ときに変態は、進化においてもっと重要な役割を果たす。まるで世代間の変態のように、大きな突然変異によって両親と非常に異なる個体が生まれた場合を考えてみよう。1871年のアンリ・ルヴィトゥーいわく「ネアンデルタール人の化石は現代の人間の蛹でしかない」。現代人にはネアンデルタール人の遺伝子がいくつか残っているが、ネアンデルタール人は現代人の祖先ではない。1940年には、生物学者のリチャード・ゴールドシュミットが、「将来性のあるモンスター」が新しい種の起源になり得ると述べた。

1790年、ドイツの詩人のゲーテは『植物の変態』という科学書を出版し、そのなかで「植物そのもの、さらには各器官にまで段階的な変態を起こすために自然が用いている力を認めた」。ゲーテによれば、花びらや花の再生産器官は葉が変化した結果だった。どの植物も似ているのに1つとして同じ種はないのはなぜか、という問いの答えが、ゲーテにとっては変態だったのである。

「どの形も似通っているが、1つとして同じものはない。
だから植物は、人間に秘密の法則を教えてくれるのだ」

未来の変態

「ぼくの皮膚はぶよぶよにたるんでいる。ああ、この白く毛むくじゃらな体ときたら! 硬くて見事な深緑色の皮が欲しい。彼らのような品の良い色の、毛むくじゃらでない体が!（中略）ああ、ぼくは怪物だ、怪物だ。どうやってもサイにはなれない!　どうしても!　もう変わることができないのだ。こんなに変わりたいのに変われない。ぼくはもう自分の姿を見ることができない。とても恥ずかしい。なんとぼくは醜いんだろう!」

イヨネスコ『犀』、1959年

変態はおとぎの国の出来事のようでありながら、生物学者にとって重要な研究対象でありつづけた。始まってから完了するまでの時間にかかわらず、形が変わる変態は劇的な現象だ。数日間からせいぜい数年間の個体レベルの成長と変化から、数百万年、数千万年に及ぶ生物群や種の様変わりのような変態までさまざまである。

生物が生きていくには変化がつきものだ。おとぎ話や神話の変態は人間の変化、あるいは人間にも変化が起こり得る可能性を明らかにしている。おとぎ話の作者はなんでも書くことができるが、話のなかで起こる想像上の変態は、人間のアイデンティティの一部を形作る動物的な性質を暴いている。

偶発的ではない変態は、イモムシが蝶になるときと同様、生きていくうえで通る普通の経過の1つである。蝶がイモムシより「完成されている」わけではないが、次の世代を産むのは蝶のほうだ。変態はしばしば自然の秩序の断絶だと表されるが、この点から見れば、むしろ変態は完成やより優れた状態への移行だと考えられた。死後の人間の精神が天使に変えるという19世紀の博物学者フィギエの説は、このような動物のモデルを根拠にしている。

今日では、バイオテクノロジー、情報科学、脳科学の進歩によって、私たちは新たな変態に直面している。医学とテクノロジーの協調関係から生まれたトランスヒューマニズムは、超発達した能力を備え、株細胞のおかげで永久に修復可能な「優れた」人間になるという進化の新しい段階へ導こうとしている。この予告された変態に対して、哲学者と生物学者は、変態のあらゆる可能性を想定するため、変態が秘めている危険と偏った姿勢を強調するために立ち上がった。トランスヒューマニズムは、オウィディウスが描いた動物の新しい能力という夢と、フィギエが約束した永遠の生というテーマを借用した。まるで、変態によって人間が超人間や天使になりうるという考えが初めて登場したときのようだ!

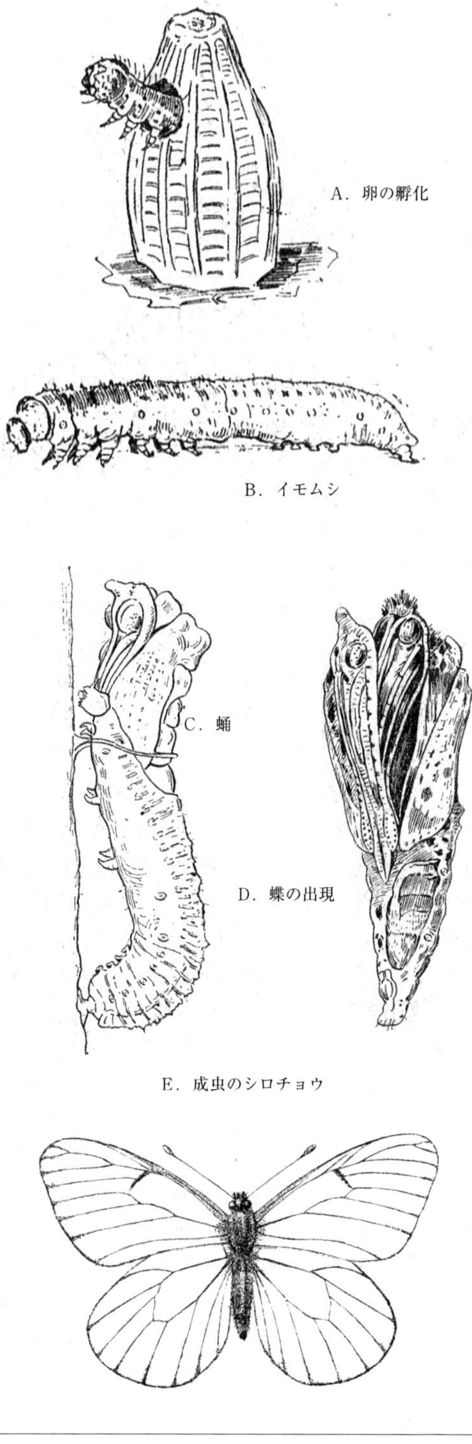

シロチョウの変態。
イモムシから蝶への変化は、
あらゆる動物の変態、
想像上の変態の原型となった。

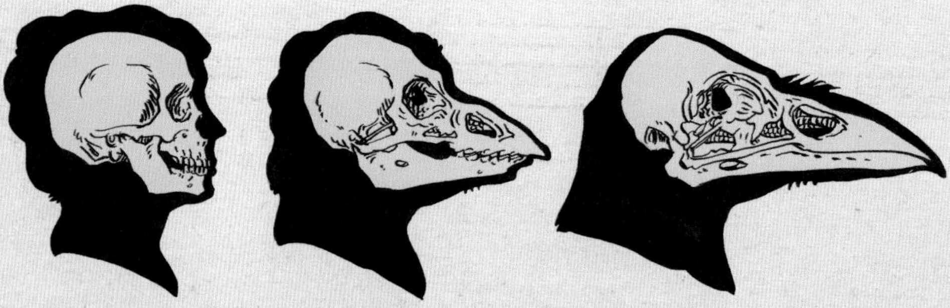

Chapitre 1

Métamorphoses Magiques

第1章

魔法による変態

罰や呪い、妖しい術、神の力——
この章では、魔法のように一瞬で起こる変態を扱う。
変態の過程は外からはわからない。
だが、こうした変態は思わぬ結果をもたらす。

カエルの王子さま
コガネムシになったグレゴール
モンフォールのアヒル
カラスとフクロウ
白い鹿
ハエ
雌牛と雄牛

LE PRINCE-GRENOUILLE

Du genre de l'amphibien

カエルへの変態は
子ども向けのおとぎ話によく見られる。
だがこの変態は、
世界じゅうのオタマジャクシにとっては
当たり前の出来事でもある。

カエルの王子さま

両生類の変態方法

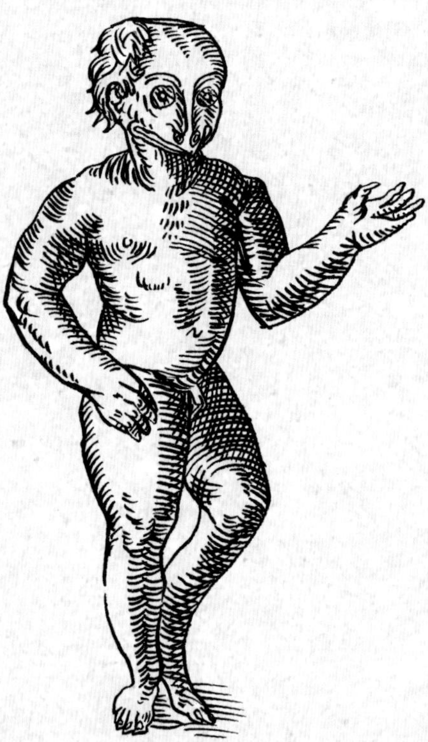

カエルの顔をした不可思議な子ども
(アンブロワーズ・パレ、
『怪物と驚異［Des monstres et prodiges］』、1573 年)

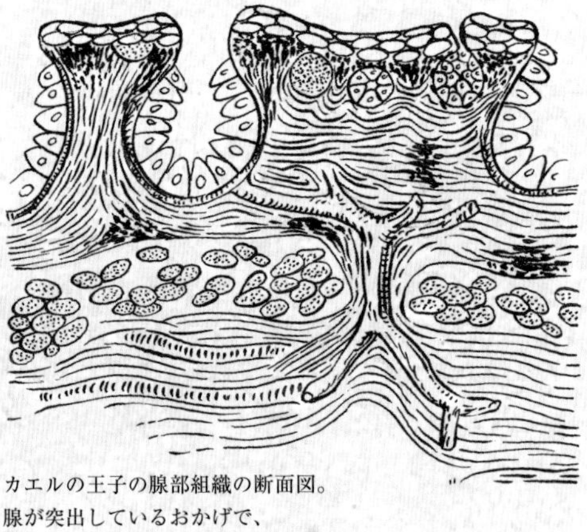

カエルの王子の腺部組織の断面図。
腺が突出しているおかげで、
キスのような一瞬の接触でも変態できる。

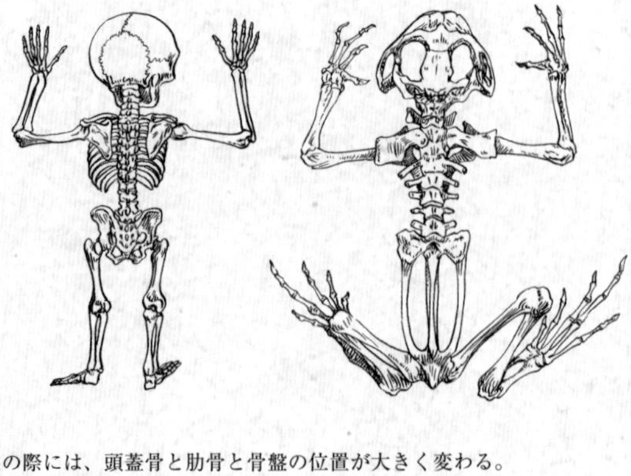

変態の際には、頭蓋骨と肋骨と骨盤の位置が大きく変わる。
足首から下を除けば、腕と足のバランスにあまり変化は見られない。

1匹のカエルが王子に変身する。少なくともおとぎ話のなかではよくある話だ。だが、動物から人間に姿が変わる以上、当然その性質に関していくつかの疑問が生じる。

まず、カエルとは本当にあのカエルなのだろうか?　フランス語では、女性名詞の生き物［フランス語でカエル「grenouille」は女性名詞］が男性に変身する例はあまりない。もちろんこのカエルが雄のカエルだったのかもしれないが（この場合に限っていえば間違いなく雄だろう）、名詞の性からどうしても雌のカエルを連想してしまう。同じカエルを指す単語でも男性名詞の「crapaud」を使えば問題は解決するが、「crapaud」はヒキガエルのことなので、厳密には種類が違う。色鮮やかで美しくも見えるカエルは、ひと目で不快感を与える生き物ではない。現におとぎ話に出てくるカエルは（近い種類のアマガエル「rainette」と混同されて）しばしばなめらかな明るい緑色の姿で描かれる（ちなみに「rainette」も女性名詞なので性の問題は未解決）。だが、緑色ではなくイボがあってずんぐりとしたヒキガエルならば、ほとんどの読者が嫌悪感を覚えるはずだ。

カエルから人間への変態が起こる最も有名な話は、グリム兄弟による童話『かえるの王さま、あるいは鉄のハインリヒ』だろう。ドイツ語の原作では、主人公はヒキガエルを指す女性名詞の「Kröte」ではなく、総称としてのカエルを指す「Frosch」という男性名詞で呼ばれている。同じグリム童話の『水の精』では、男が女性名詞のカエルに、女が男性名詞のヒキガエルに変身する。双方が入れ替わっているという点では、フランス語よりもドイツ語のほうが平等だ。ブルターニュの昔話『ヒキガエル人間』では、ヒキガエルの姿をした王子が男の耳元に張りつく。そして「おまえの娘と結婚させてくれるまで顔から離れないぞ」といって、カエルの不快なイメージを体現している。

『かえるの王さま、あるいは鉄のハインリヒ』は、変態のきっかけという点でも興味深い。引き金としてすぐに思い浮かぶのは姫のキスだろう。これは教訓としてもわかりやすい。『美女と野獣』でも、見た目に関係なく相手を受け入れた証として、キスが変態のきっかけに用いられている。なかには、このようなおとぎ話は近親相姦への警告であり、近親者の外から結婚相手を選べという若い読者への教訓と読み取る人もいる。だが、初版にキスは出てこない。初版では、約束通りいっしょにベッドに入ろうとカエルに迫られた姫が、「気持ち悪いカエル!　これでゆっくり眠れるわ!」と怒って叫び、カエルを壁に投げつける。その暴力のおかげで姫はすてきな王子と結ばれるのだ!　スコットランドに伝わるより古いバージョンでは、頭を切ってくれれば自分は王子に戻るとヒキガエルが姫に語っている。変態のきっかけは、愛ではなく暴力である場合のほうが多いのである。

ところが、1812年の初版以降の重版と翻訳版では、このシーンの暴力性を和らげて、真実のキスによって呪いが解けるという筋が採用された。ときには変態のきっかけは問題にさえされず、1837年の翻訳版では「翌朝、姫が目覚めると、なんと驚いたことにカエルではなく世にも美しい瞳をした立派な王子さまが姫を見つめていた」となっている。

グリム童話でも変態の過程は描かれず、さっきまで姫の前にいたのはカエルだったのに、まるで魔法のように王子に変わったと書かれている。さしずめ煙がもくもくと出てきたか、魔法の粉がきらめいて変わっていく過程を隠していたのだろうと想像したくなるが、グリム兄弟はこの

MÉTAMORPHOSE DES PRINCES-GRENOUILLES

カエルの王子の変態

イギリスの若い王子
成長途中
(Rana windsoris)
ヨーロッパ

ソロモン諸島の王子
(Bufo ridibundus)
オセアニア

ダファディスタンのラジャ
(Rana hexapodis)
アジア

ザンベゼの王子
(Lipus promptus)
アフリカ

ブログリアの王子
(Heracleus brogliae)
ヨーロッパ

ヒュリー族の族長の息子
(Hyloides papouasensis)
オセアニア

日本の皇太子
(Imperiana kyotensis)
アジア

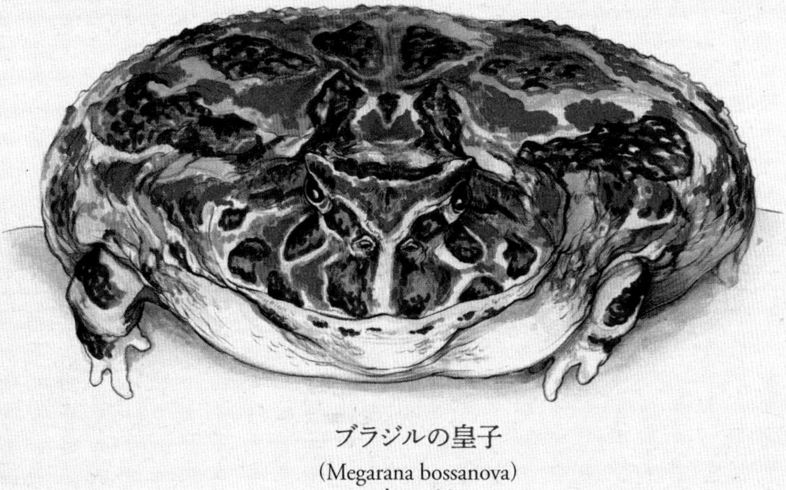

ブラジルの皇子
(Megarana bossanova)
南アメリカ

超自然史図版
絵：カミーユ・ランヴェルサッド
幻獣研究家

怪獣博物館「キメロロジー」、デロール（パリ7区、バック通り46番地）

手のトリックも用いていない。

なかには、詳しいとはいかないまでも、カエルが皮を脱ぎ捨てて、なかから王子が現れたというように簡潔な描写がされている版もある。朝鮮の版では、結婚したあとにヒキガエルが姫に、ハサミで背中を切ってくれと頼む。すると、カエルのなかから見目麗しい若者が現れる。王子はヒキガエルの皮をまとっていただけで、姿を変えるにはマントを脱ぎ捨てればよかったというパターンだ。ロシアのおとぎ話『カエルのお姫さま』にも同じパターンが見られる。ワシリーサという従順な女性が魔女によってカエルに変えられてしまう。そこへ王子が現れてカエルになったワシリーサと結婚し、カエルの皮を焼き捨てる。だが、皮を失くしたワシリーサは、王子のもとを去らなければならなくなる。妻を取り戻すために、王子は長い旅に出る。このように、動物に変態させまいとして皮を壊してしまうパターンは多くのおとぎ話に見られる。カエルだけでなく、クマや白鳥が出てくる例もある。

この特異な構造によって、別の問題点が見えてくる。動物と人間という変態の前後の体格差だ。変態にかかる時間が短ければ短いほど、人間と動物の性質の差異が問題になる。動物から変態を遂げた人間は普通の大きさなのか？　それとも、見た目は人間なのに小さいのだろうか？　完全に変態するためには、成長しなくてはならないのか？　残念なことに、いままでこの点が議論されたことはない。生物学的な論理は措《お》くとしても、多くの動物と人間は質量が異なるために物理的な問題があるのである。

カエルから人間への変態はリアリティーがないが、根拠なくカエルが選ばれたわけではない。おとぎ話の動物に割り当てられたさまざまな役割を果たすのに、両生類は適任なのだ。物語のなかで、カエルは姫が失くした金の鞠を探しに池の底にもぐっていく。もぐるだけならば魚でもできるが、あとから城まで歩いていって姫といっしょに食事がしたい、同じベッドに入れて欲しいと頼むのは、魚には不可能だ。だが、カエルならば泳げるし、歩くことも跳ぶこともできる。

さらに、カエルは実際に足がない水生のオタマジャクシから4本足の両生類へと派手に姿を変えるのだから、変態するおとぎ話の題材にふさわしい数少ない生き物だ。姫のベッドの下でカエルから王子の足が生えるのは、オタマジャクシの成長の最終形態だとも考えられる。

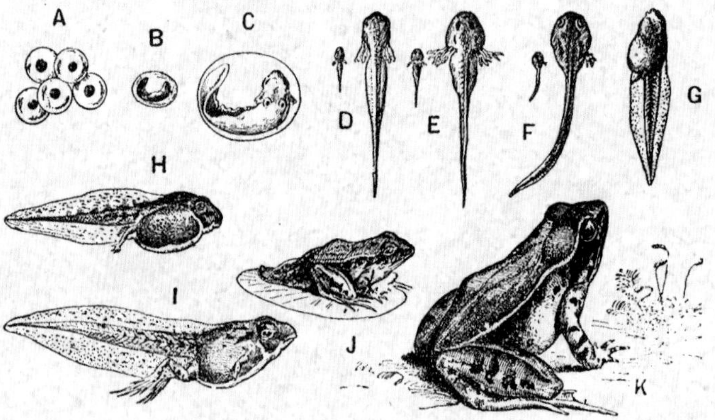

胚（A～C）の段階を経たあと、幼生のオタマジャクシ（D～H）に成長するが、まだカエルや最終形態の王子とは異なる点が多い。変態の第１段階（I～K）では尾が消えて、陸での生活に適した形になる。宮殿で暮らすには不可欠な変化だ。

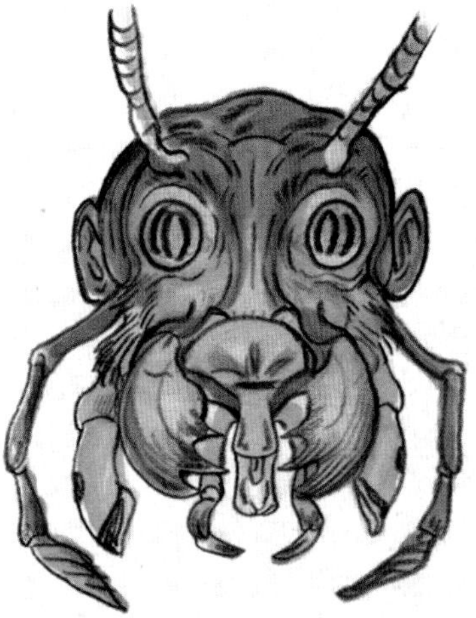

GREGOR LE BOUSIER
Hors-champ

ある晩、1人の男が虫に変身する。
古典的な変態とは異なり、
変態の理由や経過はわからない。
だが、虫になった男の権利は
動物学が守ってくれる。

コガネムシになったグレゴール

描かれない変態の過程

グレゴールとは違い、
変態したあとで社会的に
大成功を収める人もいる。

クソムシが糞を丸めてつくる玉は、
太陽を思わせる形でこれから
生まれる幼虫のゆりかごであることから
再生のシンボルとされる。

カフカの小説『変身』では、販売員のグレゴール・ザムザの巨大な虫への変身と、それにともなって起こった出来事が描かれる。なかでも詳しく描かれているのは、ザムザの日常生活に起こる混乱、とりわけザムザと家族の関係があっという間に崩壊していく様子だ。一方、変態した生き物に関する描写はほとんどなく、ザムザがどんな種類の生き物に変身したのかを特定するのは難しい。というのも、小説のなかに昆虫（Insekt）という単語は出てこないのである。物語冒頭でカフカが用いているのは、「Ungeziefer」という害虫、寄生虫、毒虫（さらにはネズミも含む）を指す非常に広義の単語だ。カフカ本人がゴキブリを指す単語を一度も使っていないにもかかわらず、ザムザが巨大なゴキブリの絵で描かれることが多いのはこのためである。カフカは、ゴキブリのとても長い触角や特徴的な体の構造にも触れていない。クソムシをほのめかす部分が一箇所だけあるものの、動物学や生態学の観点からクソムシだと断言できるような描写ではない。また、変身後のザムザの足は細く弱々しいと書かれているが、クソムシは突起のある立派な脚をしている。さらにいえば、クソムシは牛糞を丸めた玉のなかに卵を産むのだから、産卵に不可欠な動物の糞がない建物のなかにいるとは思えない。

唯一カフカが自然界の掟に従っている部分は、変態後の虫のサイズである。ザムザが変身した虫は、巨大で桁外れであり、超自然的な大きさなのだから……。人間から虫への大々的な変態を前にして、博物学者はそのメカニズムを探らずにはいられない。しかし、カフカは人間から虫へ変わっていく過程については何も描写していない。「ある朝、気がかりな夢から目を覚ますと、ザムザは自分がベッドのなかで巨

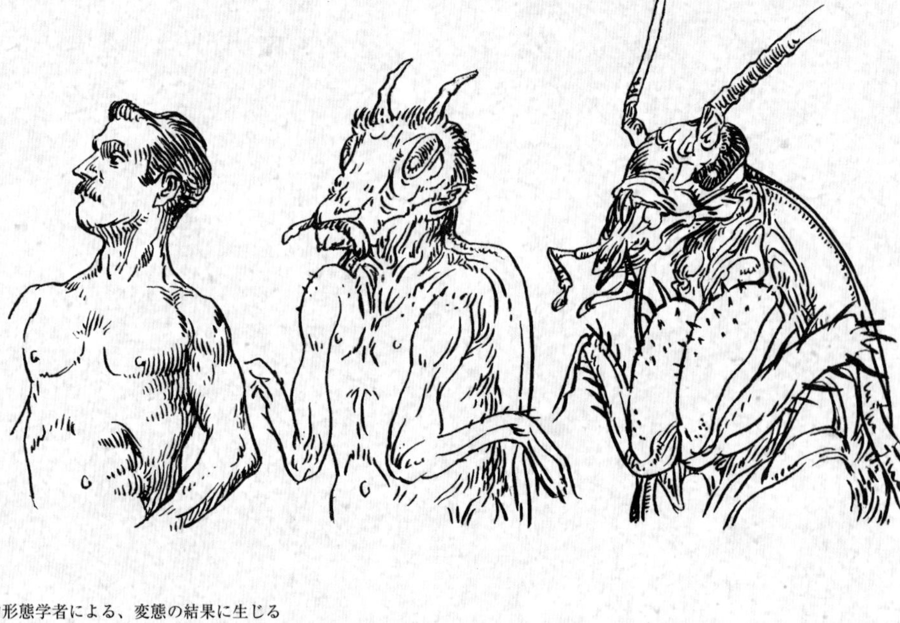

動物形態学者による、変態の結果に生じる
人間と昆虫の体毛の比較図。体毛の生える場所が変わっている。

大な虫になっているのに気がついた」としか書かれていないのである。変身する前の晩には、ベッドにできた巨大な蛹のなかで解剖学の常識を覆す出来事が起きていたと考えられる。

カフカが変態の過程をぼかして書いたのは、人間と虫の体の構造が異なるからだ。人間と類人猿でも体の構造は違う。動物学者によると、昆虫の6本ある脚は4本の動物の手足とは性質が異なっていて、本数が2本多いという問題ではない。人間と虫は祖先の体からして違うし、胚の段階ですでに構造が違うのだ。したがって、ザムザの変態では体内にある骨が多くの節からなる外骨格の脚に変わったと考えられる。表面がキチン質のクチクラで覆われて固くなっていくあいだに、体内の骨は溶けていったのだろう。顔からは唇と歯がなくなって、代わりにあごと触髭がつくられなくてはならない。それ以外の消化器や循環器や呼吸器や神経系においても、同じような構造の大転換が起こったと考えられる。

猿か豚への変身のほうが簡単だったのは確かだが、それでは物語はこれほど魅力的にならなかっただろう。

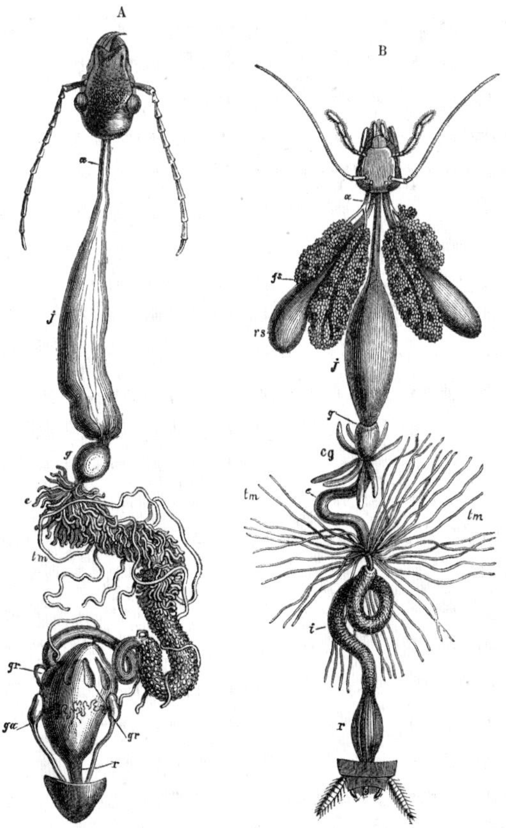

消化管の最終的な形は、
その昆虫が何を好んで
食べるかによって決まる。

ウスバカマキリへの変態は、
家事ができなくなるのと同義。

MÉTAMORPHOSE DE L'HOMME-INSECTE

人間から昆虫への変態

人間からゴキブリへ変態する過程の神経の構造

変態の過程

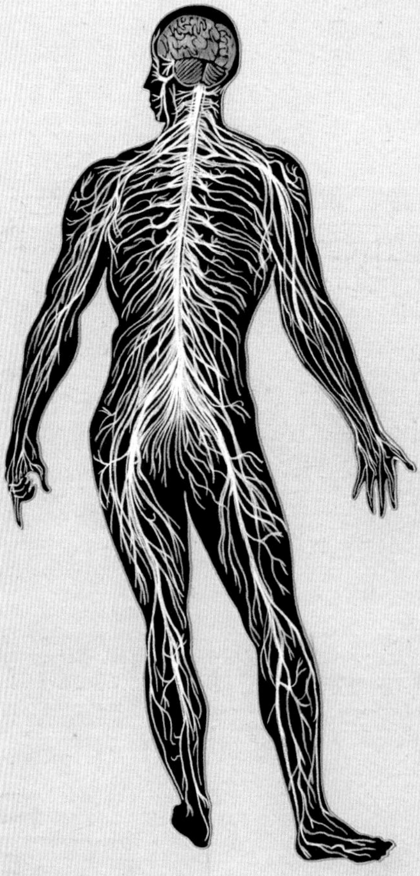

第１段階
人間が休眠状態になる。
通常は夜間に起こる。

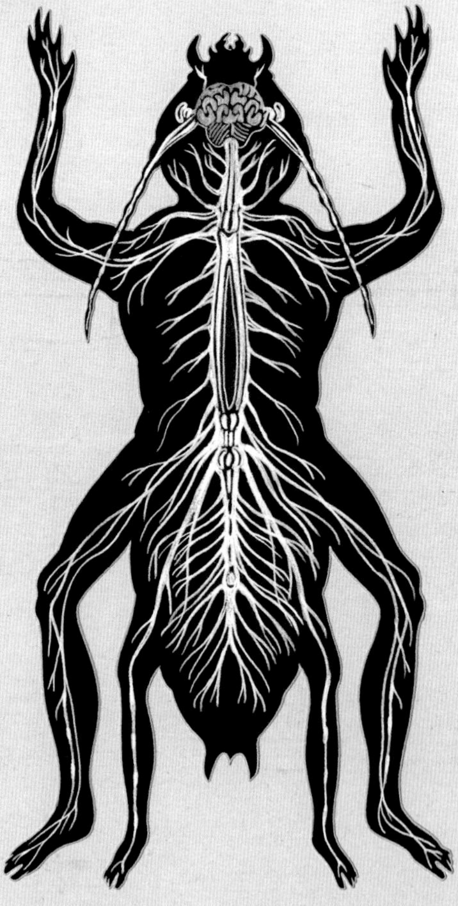

第２段階
まだ人間らしい形は残しているが、
追加で生えてきた2本の脚には
早くも神経が通っている。

自然界で起こるあらゆる変態のなかで、人間から昆虫への変態は最も複雑なものの1つである。
体の内部にある骨格がキチン質の外骨格へと変化する。手足は脚になり、数も増える。
外側の変化に比べれば見えにくいが、体内でも驚くべき変化が起こっている。
脳は完全に吸収されて神経節に変わる。

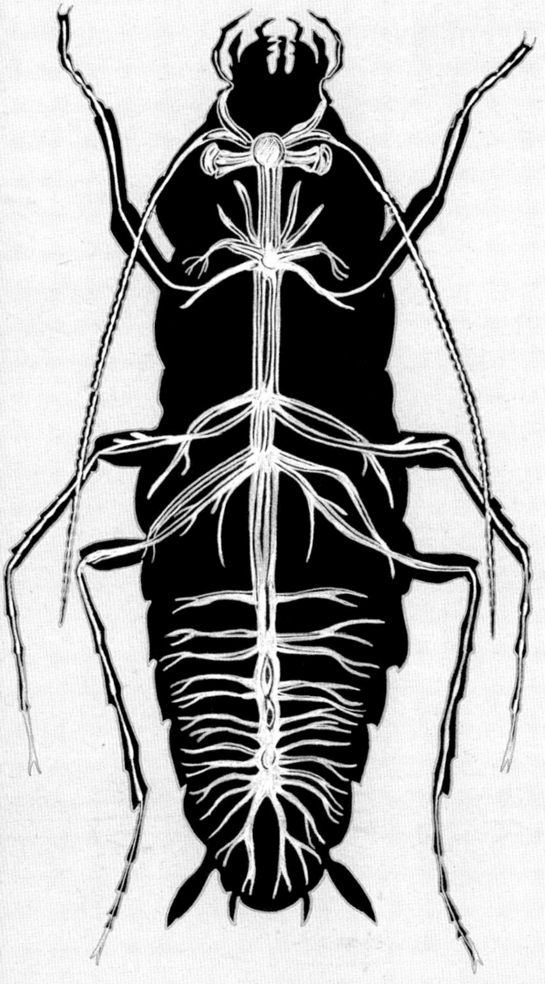

第3段階
神経系が完全に
新しい体の形に適応する。

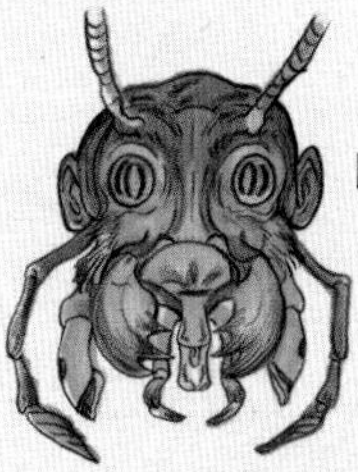

変態後の頭部
目はやや人間の特徴を
残している。
(Blatta sapiens)

人間の赤ちゃんから クソムシの幼虫への変態

変態はいつ起きるかわからない。
人間の乳児は当然幼虫に変態する。

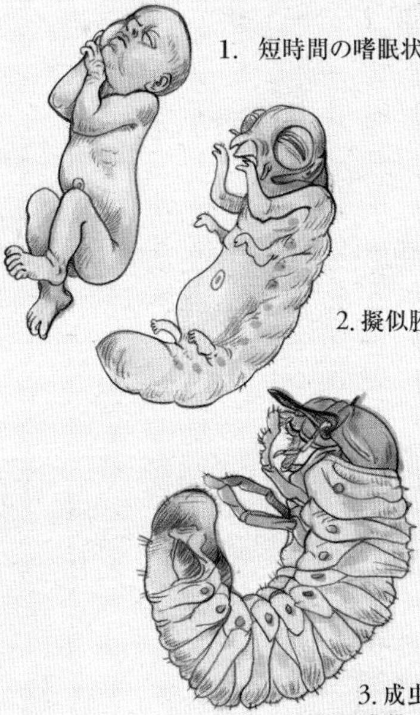

1. 短時間の嗜眠状態

2. 擬似胚の状態に退行

3. 成虫への変態の
準備が整った幼虫

超自然史図版
絵：カミーユ・ランヴェルサッド
幻獣研究家

LA CANE DE MONTFORT
Magie ou miracle?

古代の神々はしばしば変態して去っていくが、
ローマ・カトリック教会からすれば、
女性がアヒルに姿を変えるなどという
風変わりな奇跡は
容認するわけにはいかなかった。

モンフォールのアヒル

魔法か、それとも奇跡か？

鳩、鶴、鶏、七面鳥……。
良きにつけ悪しきにつけ、
いつの時代も女性は鳥にたとえられてきた。

若い農家の娘が悪い領主に誘拐される。塔に閉じ込められた彼女は辱《はずかし》めを受けるのを恐れて聖人に助けを求めた。願いは聞き届けられ、娘はアヒルに姿を変える——。いくつかのバリエーションはあるものの、ブルターニュ地方からポワトゥー地方に残る伝説だ。出てくる聖人もまちまちで、聖女の場合もある。変身する鳥の種類も街によって違う。いちばん多いのはアヒルだが、鶴や白鳥に変身する話もある。ほとんどが渡り鳥なのは、鳥女や鳥に似た妖精が出てくる古い異教の伝説とキリスト教の信仰の話を結びつけるのに、渡り鳥が創作欲をかきたてたからだろう。しかし、鳥女や妖精と若い娘はあまりにかけ離れている。

数あるバリエーションのなかでも最も有名なのは、ブルターニュの小さな街モンフォールのアヒルの話だ。なにしろ、昔は街の名前がモンフォール=ラ=アヒル《カンヌ》だった。モンフォールでは、毎年聖ニコラウスの日になると、野生の美しいアヒルが人を怖がらずに雛を引き連れて教会にやってきては、近くの沼地に戻っていく姿が見られた。

教会にアヒルが現れるようになったのは12世紀。以降、この件に関しては今日まで多くの議論が交わされてきた。アヒルは本当に教会に来るのか。来るとすれば、聖ニコラウスに救ってもらった娘の生まれ変わりだということなのか。カトリックはこれを奇跡だと考えていたが、プロテスタントは「鴨を呼び寄せる呪文から生まれた話で、超自然的なことや空想を信じるあまりに現実が見えなくなっている」と言って、言い伝えやそれを信じている人を馬鹿にした。残念ながら、祈禱書に残されていた古い議論の記録は、16世紀にブルターニュがフランスに併合されるまで続いた紛争で失われてしまった。

しかし、神学的な見地からは、若い娘の鳥への変態は認めがたい。やがてカトリック信者も伝説を信じなくなり、話は単に若い娘が聖人に救われたという、おもしろみのないものに変わってしまった。だが、アヒルが教会にやってくるのはなんの教義とも衝突しないため、奇跡ともいえるのではないだろうか。

その後、1662年にサンジャック・ド・モンフォールの修道会に属する大修道院の管区長だったヴァンサン・バールフが『ブルターニュ地方モンフォールに長年現れている野生のアヒルの物語、近年の出来事の詳細』という本を出版した。本のなかでは、サン=ジルの領主が若い娘をものにしようと企んだが、娘は変身ではなく奇跡によって城の外へ瞬間移動したと話が歪曲されている。それだけでなく、「領主から逃れた娘をさらに危機が襲う。領主さまは娘をじゅうぶんに堪能したのだろう、今度は俺たちの番だ、と考えた家来たちが襲ってきたのである」。娘がもう一度神に助けを求めると「家来たちは動けなくなり、目が見えなくなった。おかげで娘は淫らな手から逃れることができた」とある。変態の物語が、2つの奇跡の物語に書き換えられ

モンフォールのアヒルが娘の変態後の姿だとすれば、雛の出自はさらに謎が深い（伝説にインスパイアされたモンフォール＝シュル＝ムーの風向計）。

たのだ!

　この伝説を題材にした民謡は多い。民謡は変態するものとしないものの2つのタイプに分けられる。シャトーブリアンは敬虔なカトリック信者だった母が「娘はアヒルになって……」という歌を歌っていたが、おそらく母は「誤った伝説」を信じていたのだろうと書いている。一方、セヴィニェ夫人の版では、娘は聖ニコラウスを讃えなかったため、不信心の罰として変態させられたとされていて、まったく筋が違っている。最もただ単に彼女の創作なのかもしれないが……。

　一方、目撃談や伝聞によると、モンフォールのアヒルは200年間ずっと、5月9日ごろになると雛を連れて「十字架の周りを飛び回り祭壇に上って」いたという。しかし、教会へは「年々来なくなっていった」。最後にモンフォールにアヒルが現れたのは1739年。1羽が「墓地の十字架の周りを何度か飛んで回った」だけだと伝聞による記録が残されている。革命のさなかの1792年には、アヒルを冠した街の名前はモンフォール=ラ=モンターニュに、1801年にはモンフォール=シュル=ムーに名前を変えた。

部屋に1人になった娘は
お守りくださいと神に祈った
神と聖母に
すると娘はアヒルになった

祈りはそれで終わらなかった
今度は翼が生えてきて
高く、低く飛べるようになった
聖ニコラウスの高い塔から

19世紀の流行歌より抜粋

CORBEAUX ET HIBOUX
Les oiseaux du Diable

カラスとフクロウ

悪魔の鳥

古典的な「銅鍋で何かを煮る」魔女の図

「ルキウスが旅から帰ると家のなかに女がいた。女は体に香油を塗ってカラスに変身した」。これは、アプレイウスの小説『黄金の驢馬』の一節だ。オランダの医者ヨーハン・ヴァイヤーいわく、鳥に変身した魔女に関する最古の記述である。実は、初版ではカラスではなくフクロウと書かれていたのだが、どちらも魔術と結びつきの深い鳥なので、さして重要な違いではない。腐肉に集まるカラスは戦場の負傷兵にとどめをさす。カラスが屋根にとまった家には死人が出るという言い伝えもあった。カラスは死――さらには悪魔――に近い存在だと考えられていたのである。悪魔の領域である闇に生きる夜の鳥のミミズクとフクロウも同様だ。長年広い地域で納屋の入り口にカラスとフクロウの磔の彫刻が掲げられてきたのは、こうしたいわれのない汚名ゆえである。

1580年、法律家兼経済学者兼悪魔学者のジャン・ボダンが『魔女の悪魔妄想について』という本を出版した。魔術に関する最も有名な本の1つだ。ボダンは「人から動物への変貌は確実に起こりうる」と主張した。狼人間などのボダンが挙げた多くの例の1つに、猫になる魔女があった。「男たちが不意に猫の群れに襲われた。1人が殺され、他の男たちは傷だらけになりながらも何匹かの猫をやっつけた。猫たちは怪我を負った女に変身した」。当時、魔女は動物や人間に変身できると多くの人が本当に信じていたのである。魔女として告発された女性が、悔い改め心を入れ替えるまで拷問されて火にくべられたこともあった。うっかり魔法を使ったと認めてしまえば死刑台行きだ。

魔女であるとされた根拠の多くは、変態の際に体に現れたなんらかの現象だった。19世紀の民俗学者ポール・セビオがまとめた村々の伝承によると、「ワロン地方では、夜中に見かけた黒猫が家にやってきて話しだしたという。老婆が猫の頭に熱い粥をかけると、翌朝、顔を半分火傷した女の乞食が見つかった（中略）青年が棒を使って雌牛を追い立てていた。雌牛は生垣の上から青年の愛人がいる果樹園を覗いたかと思うと、姿を消した。翌日、愛人が腰を叩かれて死んでいるのが見つかった。女は愛する恋人を見張るために牛に姿を変えていたのだ」

今日、フクロウやカラスに変身した魔女の話は写真つきでインターネットを介して伝わる。ナイジェリアでは、地面に降り立ったカラスが「急に老婆に変身する」のを見たという人たちが現れた。情報はSNSによってただちに拡散されて広がり、警察が介入して被害者をリンチから守る羽目になった。警察が女を詰所に連行して魔女だと白状させたという話もある。同じような事件は定期的に起こり、どれも写真つきで詳細な長い記事になる。メキシコでは「窓の外から住民に呪文を放とうとした」として捕まったフクロウの写真が報じられた。フクロウはきつく火であぶられて、女性たちから身元を問いただされた。人間としての名前を白状させようとしたのである。女たちはフクロウを人間に変態させようと、聖書の一節を読んで聞かせた。

まるで遠い昔に起きた中世の出来事のように思われるだろう。唯一、新しい面があるとすれば、魔女伝説がときに最近の神話と組み合わされて、魔女が爬虫類のような地球外生命体を呼ぼうとしているとか、国際的な陰謀を企てているなどとささやかれることだろうか。

MÉTAMORPHOSES DES SORCIÈRES
魔女の変態

魔女のなかには動物に変態する能力があるものもいる。魔女が化けた動物は、見た目は完全に動物と同じだが、動作、姿勢、日用品の使い方などに人間らしい部分を残している。

（飲み物をかき混ぜる）
カラスに化けた魔女

（薬草を摘む）
フクロウに化けた魔女

（杖を振る）
白いカラスに化けた魔女

（薬の味見をしている）
ネズミに化けた魔女

（周囲を警戒している）
野ウサギに化けた魔女

（呪文を唱えている）
ヒキガエルに化けた魔女

（サバトの準備をしている）
黒猫に化けた魔女

（魔術書を読んでいる）
犬に化けた魔女

超自然史図版
絵：カミーユ・ランヴェルサッド
幻獣研究家

教育博物館「モンストラリウム」、デロール（パリ7区、バック通り46番地）

LA BLANCHE BICHE

La belle et le chasseur

若い娘が鹿に変身したとき、
恋人は人間なのか、それとも鹿なのか？
精神分析の観点から
このおとぎ話を考えると、
何が起こっても不思議ではない！

白い鹿

美女と狩人

狩人の追走と
とどめをさす銃弾は
恋の激情の
メタファーでは
ないだろうか？

白い鹿の姿は
若い女性の優美さや
美しさとぴったり合う。

「白い鹿」は、月明かりに照らされた中世の森、良い妖精や悪い妖精、勇敢な騎士といったイメージを連想させる。中世初期以降、荒地や森には自然を脅かす狩人が入り込むようになった。そのなかに、角笛と猟犬を使って獲物を追う呪われた男たちがいた。

鹿の伝説を歌った「白い鹿になった娘」という歌がある。狩人の目線ではなく鹿の目線から書かれた、昔はよく知られていた歌だ。ある日、マルグリットという貴族の娘が、「私は、昼間は人間の娘ですが、夜は白い鹿になるのです」と泣きながら母親に訴えた。マルグリットは、猟犬を使う狩りをこよなく愛する兄のリヨン（版によってルノーとも）に殺されるのではないかと怯えていた。夜になり、マルグリットの悪い予感は的中した。鹿の皮を剥ごうとした人は、鹿に「金色の髪とふくらんだ胸」があるように見えた。その後、宴会が開かれ、しとめた鹿の肉が狩人たちに振る舞われた。マルグリットは「食べるがいいわ。かわいそうな娘たちを殺す狩人め。私の頭は皿の上、心臓からくるぶしまでの残りの部分は炉の横の台で焼かれているわ」といって食べた人を呪ったという。

動物の命を奪う狩猟や肉食に関する物語は、さまざまな角度から分析や解釈がされてきた。ドルイド信仰に照らして鹿に変身する娘を「母神の生まれ変わり」や「妖精の世界が母権性であることのトーテム」だとする説や、精神分析に照らしてマルグリットと兄のあいだには秘密の近親相姦的な関係があったのではないかという考察もされた。近親相姦は双方ともに

子どもたちは狩人の食事に同席することで、
変態の持つ危険性への用心を学ぶ。

重い罰を受ける罪である。

歌では、マルグリットが変身を繰り返さなくてはならなかった理由は明らかにされていない。一方、17世紀にドーノワ夫人が書いた『森のアカシカ』という童話では、変態は意地悪な妖精のしわざだとされている。妖精はデジレ姫の両親に、姫が15歳になるまで日の光を浴びさせるなと命令した。言いつけを守らないと娘には災いが降りかかる、と。しかし、15歳を迎える誕生日の3か月前に姫は日を浴びてしまい、またたく間に鹿に変身した。そこに別の妖精が現れて、夜のあいだだけは人間に戻れるようにしてくれた。マルグリットと同じく、鹿になった姫は狩りの獲物として王子に追われる。この王子はゲリエという名で、変身前の姫の肖像画を見てたちまち恋に落ちた。王子は鹿に矢を放つが、傷は浅く、最終的に話は大団円を迎える（つまり姫と王子は結婚する）。王子は鹿の姿をした姫にも夢中になっているので、姫は動物になってもなお魅力的だったということだろう。

ドーノワ夫人が描いた変態のリアルな点は、姫の味覚が鹿に近づいているところだ。「おなかを空かせたデジレ姫は食欲をそそる草をかじり、それがおいしくて驚いた」。しかし、姫は鹿になっていても人間のときの記憶があり、「自分が鹿であるのを忘れて」木に登って身を守ろうとする。変態の過程は一切描写されていないが、姫の精神は人間のままで、少しだけ鹿らしさ、少なくとも鹿としての食欲などは感じていることがわかる。ドーノワ夫人の姫は、マルグリットよりもほんのわずかだが動物らしい。むしろ、獣らしさは人間の性質なのではないだろうか。

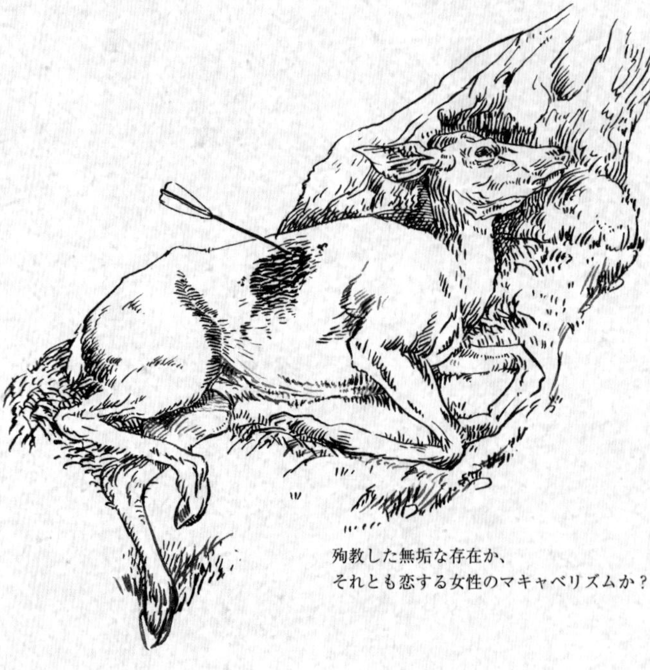

殉教した無垢な存在か、
それとも恋する女性のマキャベリズムか？

LA MOUCHE

La magie de la science

詩人が憧れるハエへの変態は、
実際のところ
動物学的・社会的な悪夢である。

ハエ

科学による魔法

ハエへの変態の難しさがわかるのは脚よりも頭。

最後まで意識がはっきりしている
『蠅』の主人公は、
非の打ちどころのない
服装をしているにもかかわらず
街に出ようとはしなかった。

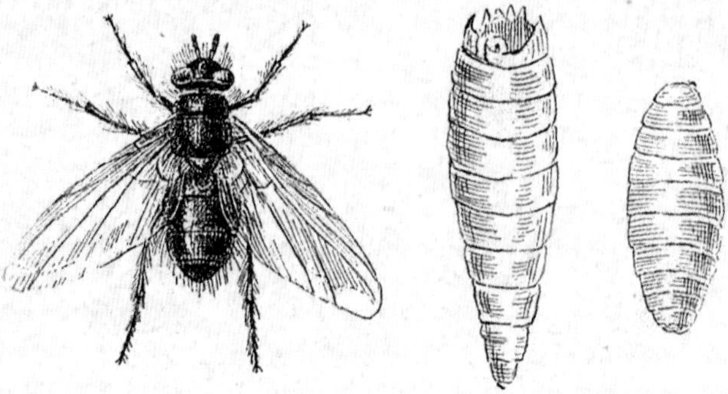

クロバエの蛹（中央図）は、幼虫の蛆（右図）が
成虫（左図）に変態を遂げる際に通る形。

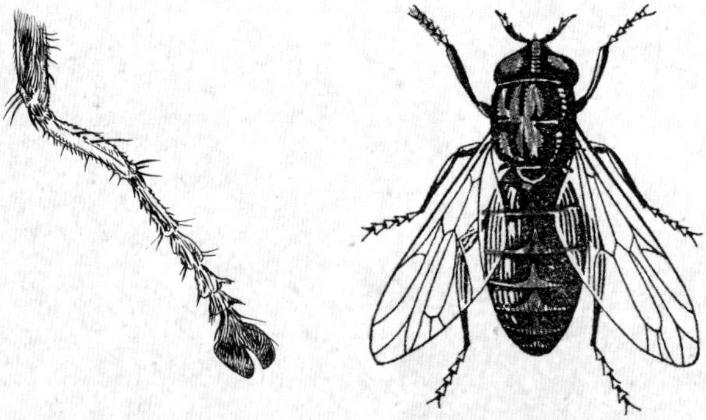

ハエの脚先の節には、粘着力のある蹠《せき》が２つある。
このおかげでハエはどこにでもとまることができる。

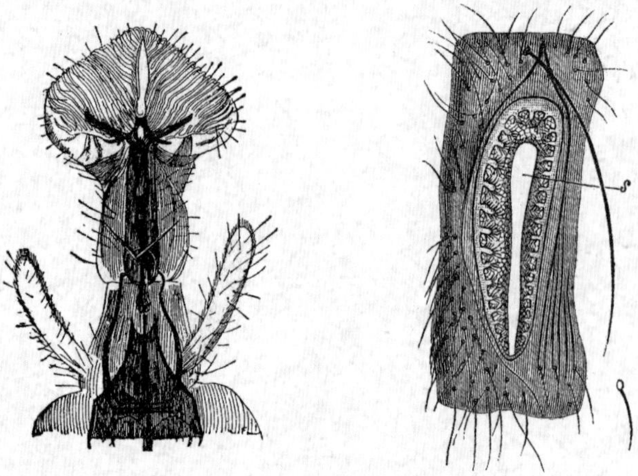

顕微鏡で見ると昆虫の器官がいかに繊細かがよくわかる。
左図は口吻、右図は呼吸器の穴である気門。

瞬間移動を可能にする機械を発明した科学者が、機械に入り込んだハエといっしょに瞬間移動した結果、半分だけハエに変身してしまう。もともとは1957年に出版されたジョルジュ・ランジュランの小説だが、出版後すぐに映画化され、その後も別の映画が撮られたり、演劇、マンガにリメイクされたりしている。

魔女と悪魔はときどきハエに変態する（旧約聖書の悪魔ベルゼブブが「ハエの王」だからだろう）が、文学にハエはあまり出てこない。1784年のアンヌ=ギデオン・ド・ラ・フィットの小説『聖水盤の悪魔と鎧を着た新聞記者のハエへの変態［*Le diable dans un bénitier et la métamorphose du gazetier cuirassé en mouche*］』にはタイトルの通りハエが出てくるが、この場合のハエは虫ではなく警察のスパイを指している。たしかに、ハエはスパイのように、どんな場所であっても見とがめられずに入り込むことができる。バロック期の詩人がハエや蝶に変態して密かに恋人に近づきたいと考えたのは、まさにこの性質ゆえだ。ジャン・グリゼルは「moucheになって、あなたの唇の上にとまりたい」と詠んでいる。この場合の「mouche」は、視線を集めるために頬や胸元にわざとつけるつけぼくろ［フランス語のハエ「mouche」はつけぼくろも指す］ではなく、虫のハエだ。しかし、あくまで願望であって、恋する詩人が本当に変態することはなかった!　鳥、クモ、ヒキガエルなどハエを捕食する動物は多いので実際に変態するのは危険に思えるし、だいいち変態できるわけがない。

ランジュランの小説『蠅』は、ハエの特性に20世紀の科学的知見を組み合わせることで含みを持たせている。主人公は神によってではなく機械のせいで変態する。神を侮辱した罰ではなく、科学者の好奇心ゆえに変態するのである。科学的な説明がいささか雑ではあるが、少なくとも設定としては科学による変態だ。登場する機械は「2台の機械のあいだを光速で原子が移動する」などという原理に基づいたものだ。ランジュランは、生物学者のジャン・ロスタンとヒキガエルの突然変異の実験を参考にしたらしい。嘘か真か、当時の映画界では突然変異が流行していた。人間が巨大なハエに変身するというテーマは、「分解」や「原子」や「突然変異」といったキーワードと同じく、当時は説得力を持っていたのだ。しかし、動物学的には非常に難しいテーマだ。

ランジュランが描いた変態はいたって単純だった。人間の頭がハエの頭になり、腕がハエの脚になる。だが実際は、頭がやや球形を保ったままであったとしても、人間からハエへの変態は、単に人間の器官とハエの器官を入れ替えればいいという話ではない。ハエには鼻も耳も唇も歯もない。ハエの脚と人間の足はまったくの別物なので、ゼロから生やす必要がある。目のつくりも全然違う。ハエはキチン質の口吻と下顎と触髭が集まってできた小顎を使って食事をするので、口も別物だ。さらにひどいのは腕で、ハエになるためには内骨格から外側に殻がある外骨格にならなくてはならない。いったいどうすれば人間がハエに変態できるのか? イラストレーターにとっても難しい題材だが、動物学者にとっては説明不可能な難題だ!

MÉTAMORPHOSE PARTIELLE DE L'HOMME-MOUCHE

人間からハエへの部分的変態

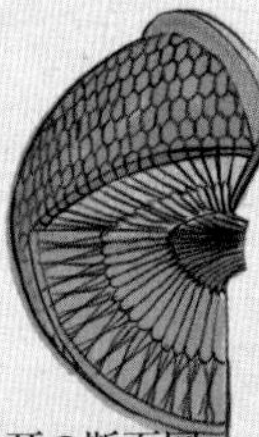

耳の断面図

ハエ人間の目から見た世界

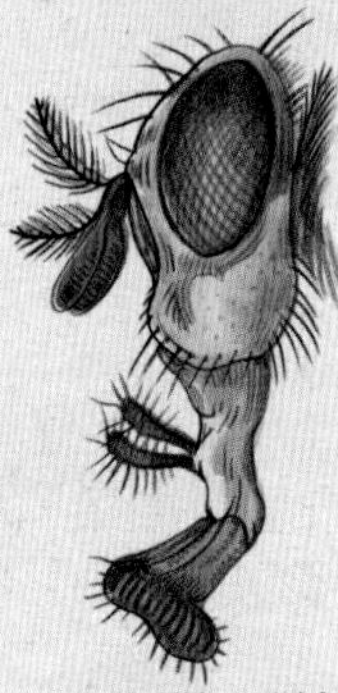

ハエ人間の頭部

(横から見た図)

広がった口吻

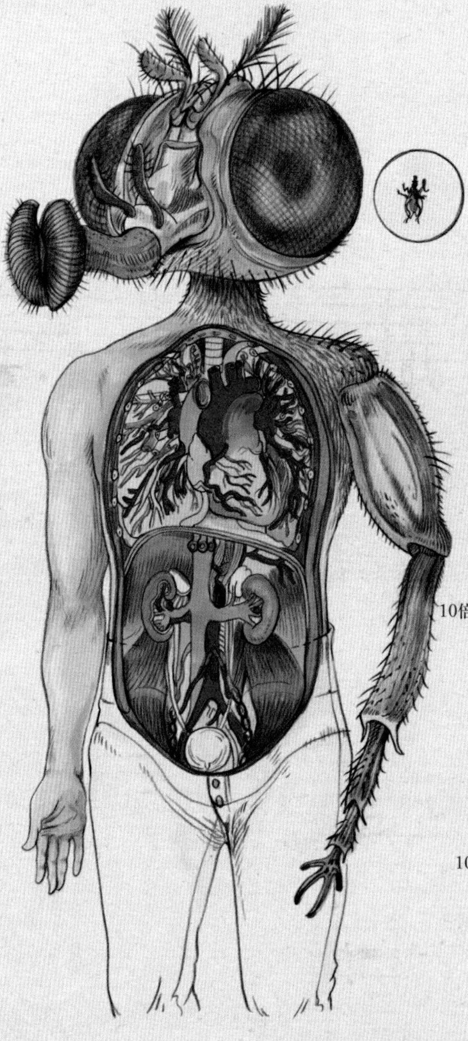

ハエ人間の解剖標本

(Muschomo semi-sapiens)

逆の場合

頭と手だけが人間のハエ

(10倍に拡大した図)

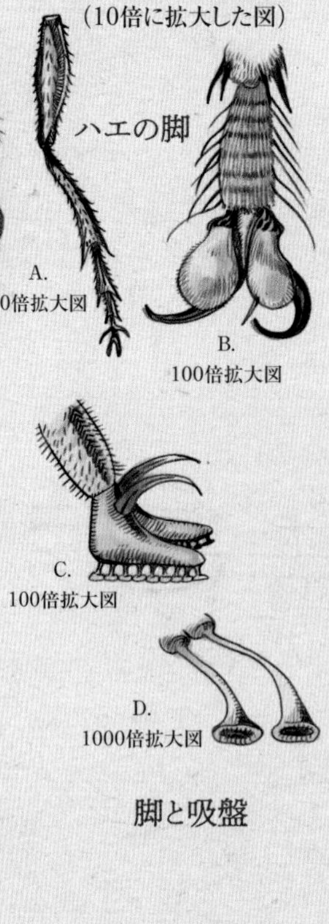

脚と吸盤

非常に稀な科学者特有の変態。変わるのは数個の器官のみで予測不可能な変態方法であり、それらの器官も根本的に変態しないことから、2つの意味で部分的な変態である。頭が変態した場合は感覚器が過度に大きくなる。

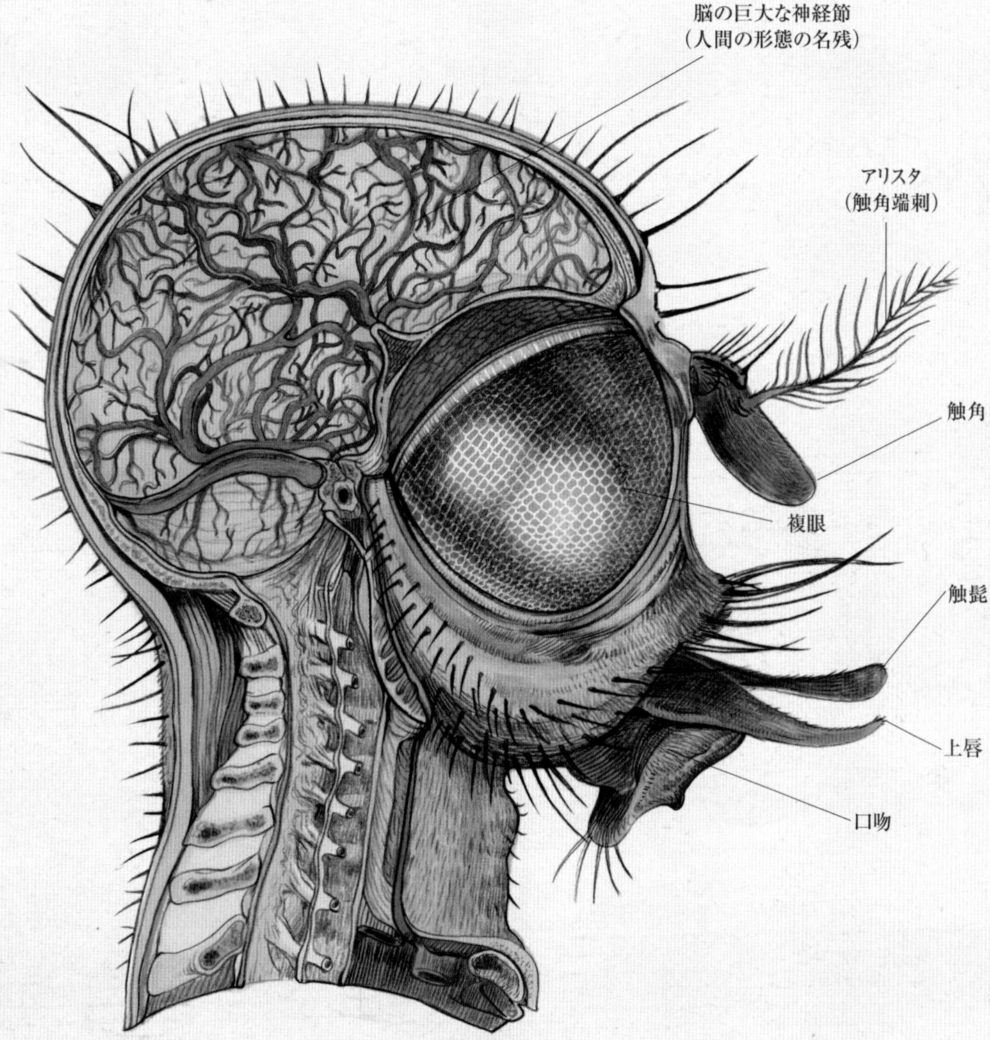

ハエ人間の頭の断面図

複眼を構成する個眼は外から見えてはいるが、
人間らしさを残す大脳皮質を侵食してはいない。
つまりハエ人間は感覚や意識は人間のままである。
言葉は話せなくなるが、視力は並外れてよくなり、
聴覚、嗅覚、味覚も人間だったときの10倍鋭くなる。

超自然史図版
絵：カミーユ・ランヴェルサッド
幻獣研究家

驚異の部屋「ミラビリエ」、デロール（パリ7区、バック通り46番地）

LA VACHE ET LE TAUREAU
Tromperies et déguisements

有史以来、牛は
人間とともに暮らしてきた。
人間から牛に実際に変態したとしても、
想像のなかで変態したとしても、
ちっとも驚くにはあたらない。

雌牛と雄牛
悪戯と変装

17世紀の画家、
ファン・ド・ヴェンヌによる
ネブカドネザル

おぞましい怪物の図。
手足は牛で他の部分は
ひどく化物じみている
（アンブロワーズ・パレ、
『怪物と驚異』、1573年）。

ホタルの雌は、腹部を光らせてサインを送り、雄を呼ぶ。光によるコミュニケーションは繁殖に欠かせない。一方、まったく違う目的のためにこのサインをまねるホタルの仲間もいる。フォトゥリス属のホタルの雌は、他のホタルの発光パターンをまねて雄を誘き寄せる。種類が違うのだから、目的はもちろん繁殖ではない。捕食である。ここで取り上げるのは、このような擬態だ。単なるペテンであって、変態ではないのだ。

ホタルと同じような例として、エウロペを誘うために雄牛になったゼウスが挙げられる。この場合も変態ではなく、ただの変装だ。反対に、ヘラに浮気がバレないようにゼウスによって雌牛に変えられてしまった気の毒な娘イオは、完全に変態したといえる。ゼウスの悪戯の犠牲となったイオは、人間らしい部分を残さずに牛になった。オウィディウスがまとめた神話によると、ゼウスはのちに反省してイオを人間に戻してやったという。オウィディウスは、牛への変態の詳細には触れていないのに、イオが人間に戻っていく過程は細かく描写した。「毛が消え、角が消えて、眼球が小さくなっていき、口が縮んだ。肩や手がもとの位置に戻り、蹄のあいだには5本の爪が生えてきた。もはや牛のときの名残は輝くような白い色だけだ。そして2本足の乙女が現れた。足は本来、2本でじゅうぶんだったのだ。だが、乙女は牛のようにモーと鳴いてしまうのを恐れて、口を閉じたままだった」

一方、聖書には雄牛に変わってしまう物語がある。神の偉大さを認めなかったネブカドネザル2世のもとに、空から「王よ、よく聞け。おまえの王国は消え去るだろう。おまえは群衆に追い立てられ、畑の家畜と同じところで暮らすことになる。牛のように草を食べるのだ」（ダニエル書7章22節）という声が降ってきた。こうしてネブカドネザル王は、7年のあいだ牛に変身していた。少なくとも、王自身は自分を牛だと思っていた。中世になると、王が実際に変態したと主張する派と、王の変態は人間の想像の産物でしかないと主張する派に分かれ、ネブカドネザルの例は重要な意味を持つ話として取り上げられるようになった。

宗教界では、この問題はずっと議論の的だった。1730年、オーギュスタン・カルメという神父が双方の主張を再検討した。カルメは、16世紀に魔女狩りを熱心に行った悪魔研究者のジャン・ボダンを引用している。王は「姿形や感覚だけでなく、人間としての精神も失ったのだ」。変身は魔王のしわざで、これは魔力によるリカントロピー（狼化妄想）の証拠を示す例だとボダンは考えた。一方、王の肉体は実際に変身したが、「不幸な目に遭っても理性は保たれていた」という説もある。束の間、精神的に錯乱したという説もある。カルメは「ネブカドネザルは自分が牛になったと思い込んで、動物のように草を喰み、角を振り立てて、髪も爪も切らず、モーと鳴いて、裸になり、外から見えるあらゆる牛の動きをまねた。戸外の露と人々からの罵詈雑言を浴びて、体毛はワシの羽のように、爪はライオンの鉤爪のようになった。最終的には、わずかではあるが実際に変態してしまったのだ!」と述べている。

一方、変態が現実に起こった例もある。1世紀のデンマーク王で平穏王と呼ばれたフロジ3世は、金を盗んだ罪で魔女を糾弾したところ、雌牛に変身した魔女の角でひと突きにされて死んでしまったという。しかし、長い歴史を通じて、ボアンソロピー（牛化妄想）や牛男は、リカントロピーに比べれば非常に稀な例といえるだろう。

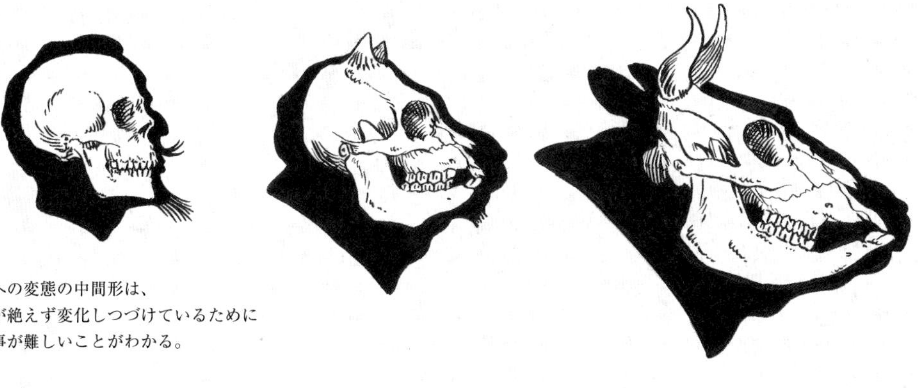

牛への変態の中間形は、
歯が絶えず変化しつづけているために
食事が難しいことがわかる。

Chapitre2

Métamorphoses Simples

第2章

シンプルな変態

変態の速さがどうであれ、シンプルな変態は観察と描写が可能である。
最も多いのは、なんらかのロジックから変態が起こるパターンで、
変態後の姿はもとの姿と似ていることが多い。
だが、つねにセオリー通りとは限らない……。

LE PORC
Le presque humain

なりたいものになる!
豚に変身するという最も平凡な変態の
基本にあるのは、このような無邪気な願望だ。
それとも隠喩が変態として現れたのか。

豚
ほぼ人間

堂々とした姿をしていてもなお、
豚人間はお尻に生えている余計な突起のために
服に穴をあけて、
二面性を取り繕わなくてはならない。

豚に変態した
オデュッセウスの部下の1人
(ギリシャのブロンズ像、紀元前5世紀)

豚は牛、鹿、ラクダと同じく、蹄《ひづめ》の数が偶数の有蹄類偶蹄目の仲間に属し、霊長類とはかなり遠い生き物であるにもかかわらず、人間と共通点が多い。まず身体面では、肌は桃色でほとんど毛がなく、体格は同じくらいで、体格の変異度まで人間に近い。精神面でも、食欲旺盛で性欲が強く、比較的知能が高い点が共通している。すべてが人間と豚を結びつけ、両者の共通点を示す動物学を超えた仮説の論拠となる。

これほど共通点が多いのだから、魔法使いキルケがオデュッセウスの部下たちを豚にするのはさぞかし簡単だっただろう。実際、狼や熊に変えてもよかったはずだ。もっとも、当時の豚は灰色で非常に毛深く、いまほど人間と似ていなかった。『オデュッセイア』のなかでホメロスは、船員たちは「頭、声、毛、体が豚のようになってしまった」と簡潔に描写している。

ホメロスの700年後に、オウィディウスがこの有名なエピソードを書き直した。彼は「話すのも恥ずかしいが、あっという間に私の体はゴワゴワとした毛で覆われた。そのときにはすでに話せなくなっていた。言葉の代わりに出てくるのは、低いうなり声だけだ。頭は前に出て、地面に向かって下がった。口は裂け、鼻面の縦の線は固くなった。首は肉のしわに飲み込まれた。まさに毒酒の入った杯を持っていた手で、地面を歩くようになった」と詳細に描写している。

古代以降、このエピソードには長いあいだ注釈が加えられてきた。作家のなかには、船員がいじきたなさの罰として豚に変えられたと考える人もいる。彼らはキルケの誘いに屈して「チーズ、大麦粉、新鮮な蜂蜜をプラムノス酒

部下を人間に戻すと約束しなければ
殺すとキルケを脅すオデュッセウス（古代ギリシャの壺より）

暴食は剣よりも多くの命を奪う
（グランヴィル、1845年）

人間の頭と手足を持つ豚。
体の他の部分は豚。
1110年にリエージュで
雌豚のような女から生まれた
（アンブロワーズ・パレ、1575年）。

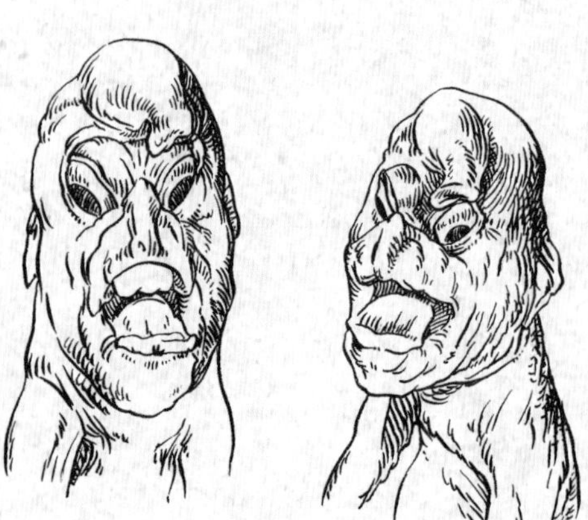

人面子豚。このような不可思議な現象は、
雌豚の錯乱に原因があると考えられていた。
生物学者はいくつか他の原因を挙げている
（139～140ページを参照）。

といっしょに」食べてしまったが、オデュッセウスは過食を拒否する分別があったために豚にならなかったというのだ。それだけでなく、オデュッセウスは美しいキルケのもとでの快適な暮らしを自分の意志で放棄している（1年間キルケの歓待を受けてからではあるが）。

ホメロスの描写では、豚になった兵士たちは祖国の記憶を失くしてしまったが、「それでも人間の精神を保っていた」。船員たちの変態が輪廻を表していると読み取る批評家がいるのはこのためだ。輪廻とは、死後の魂が新しい肉体に転生するというピタゴラス学派の教えである。そもそもキルケという名前が、死と生のサイクルである円を連想させる。だが、結局オデュッセウスの助けで、船員はみな人間の姿を取り戻す。「強大な魔女キルケの毒薬によって生えた手足の毛は、またたく間に抜け落ちた。部下たちは以前よりも若く見えた。最後に見たときよりも美しく立派になったようだ」。かつての

MÉTAMORPHOSE DE L'HOMME-PORC

人間から豚への変態

人間から豚への変態は、体内の骨格の変化から始まる。手足が四足歩行に適した形になり、脊柱は渦巻型の尻尾までつながる。同時に、歯が変化し、鼻面が伸びる。

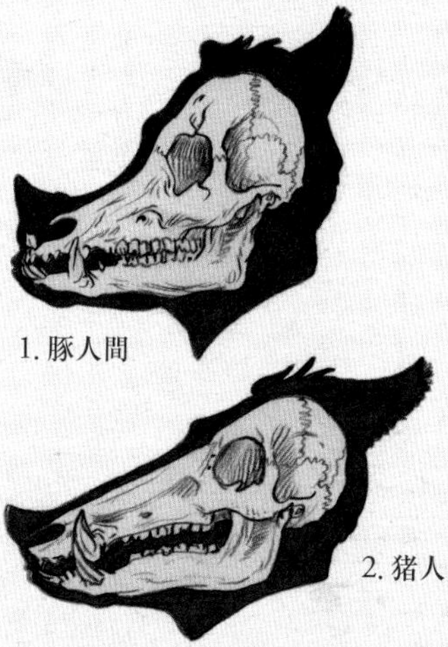

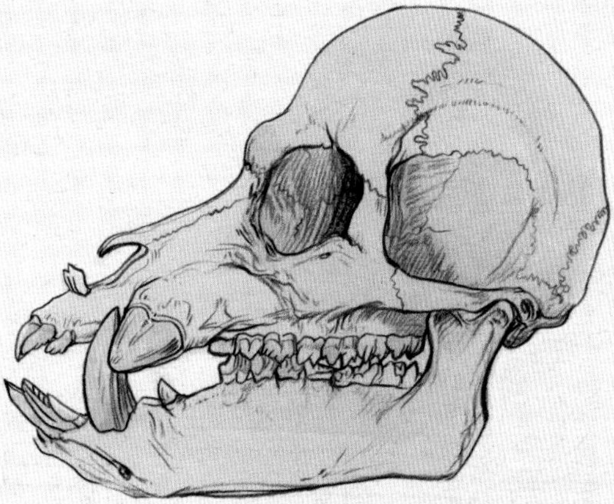

豚人間の頭蓋骨

変態途中
(Homoporcus domesticus)

豚人間と猪人間の比較

都市部にいるのが豚人間、田舎にいるのが猪人間。
(横から見た図)

骨の変化

変態の際、急激に骨のカルシウムが不足するが、骨は長く伸びて形を変える。その後すぐにカルシウムが補充されて、固さを取り戻す。

カルシウムが不足している骨の断面図

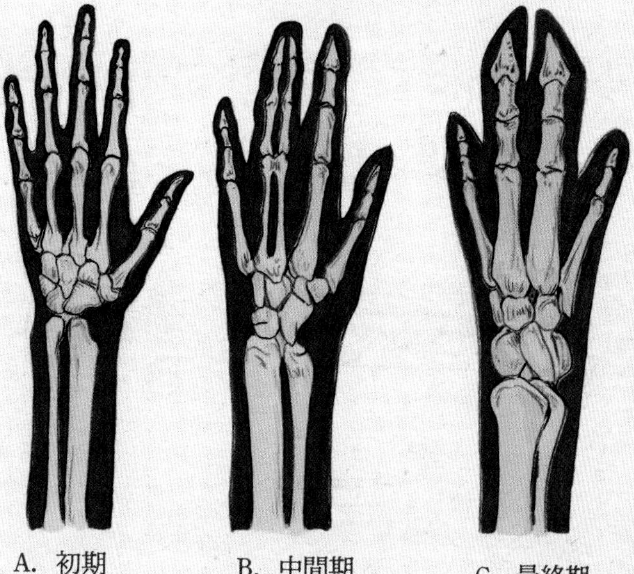

A.　初期

手の骨が軟化し、変形するのを感じはじめる。

B.　中間期

中指と薬指が合体し、1本の指になる。

C.　最終期

人間の手から4本指の豚の足になり、爪が蹄に変わる。

姿に戻り、かつ以前よりも美しくなるという2つの変態は、輪廻転生の教義に合致していない。

哲学者のプルタルコスは、(ギリシャ語で豚を意味する) ギーロスという船員の1人に焦点を当ててこのシーンを描いた。ギーロスは、動物がいかに勇敢で節度をわきまえていて賢いかを述べ、「あらゆる生き物のなかで最も無様で醜く悲惨な」人間に戻るのを拒否した。プルタルコスの想像によって書き加えられた波乱を呼ぶ展開は、しばしば他の作家に引用された。たとえば、フェヌロンは『死者の対話［*Dialogues des Morts*］』のなかでグリリュス（同じく豚の意）の意見に同意して次のように述べている。人間は「無知で不当で人を欺く不幸で高慢な生き物だ。残酷に傷つけ合い、敵だけでなく隣人とまで争う。だが豚は、お世辞抜きでとても善良だ。偽金をつくったり、詐欺を働いたりしないし、約束を破ることもない。けちでもないし、野心も抱かない。名誉のために不当に何かを得ようともしない。豚は無邪気で悪意がないのだ。豚の人生は飲み、食べ、眠ることで過ぎていく」。グリリュスはオデュッセウスに「自分の国に帰り、国を治め、妻のペネロペに会って、彼女の愛人たちに罰を与えよ。私にとってのペネロペはここにいる雌豚だ」と言って、戦いを続けるオデュッセウスを批判している。しかし、フェヌロンはグリリュスに全面的に賛成してはいない。フェヌロンの道徳観によれば、「信じるに足る哲学や真の宗教に支えられていないとき、人間は危険で醜くなる」

医者は人間と豚の類似性を保証している。古代から中世の終わりまで、医者は豚の死骸を使って学生に解剖学を教えていた。今日では、臓器移植に適した血統の豚を生み出すことで、豚を「人間化」しようとする研究が進んでいる。外科医にとって移植に使う臓器をどのように手に入れるかは難題だ。そこで研究者は動物の臓器を使う方法を考えついた。研究者が注目したのは豚だった。人間に最も近いのは猿の仲間だが、ヒヒの臓器では小さすぎるし、チンパンジーは数が少なすぎるうえ幸運なことに保護されているので、臓器移植には適していなかったのである。

豚は体格面でもちょうど良く、育てるのにコストがかからない。もちろん、拒否反応を起こさないための遺伝子操作は必要だが……。豚の心臓の弁はずいぶん前から移植に使われているし、心臓全体の移植に関する研究も進められている。このように、人体と互換性を高めるために豚を部分的に人間化する変態と、部分的な「豚化」――少なくとも心臓においては――による人間の変態という2つの変態（もちろん不完全だが）が起こっているのである。しかしながら、愛憎入り混じった人間と豚の関係の深いアンビバレンツは、異種移植を進めようという動きにブレーキをかける恐れがある。

豚と人間の関係については、すでにジョージ・オーウェルの『動物農場』が取り上げている。小説のなかでは、人間のひどい欠点を受け入れた豚が、人間のように振る舞いはじめる。他の動物たちから搾取するために結託した人間と豚がトランプをしている姿は、もうどちらが人間でどちらが豚か見分けがつかなくなっていたのだった。

L'OURS BRUN
L'homme des bois

猿が人間の分身として
扱われるようになる前、
その役割を担っていたのはヒグマだった。
ヒグマは、シベリアから
カリフォルニアまで北半球を覆う
広大な寒冷地の森林に暮らす
野生の人間だと考えられていたのだ。

ヒグマ

森の人間

1930年ごろ、
モルドヴァ地方の熊の見せ物師

モルドヴァ地方の熊祭りで
見られる熊人間（21世紀）

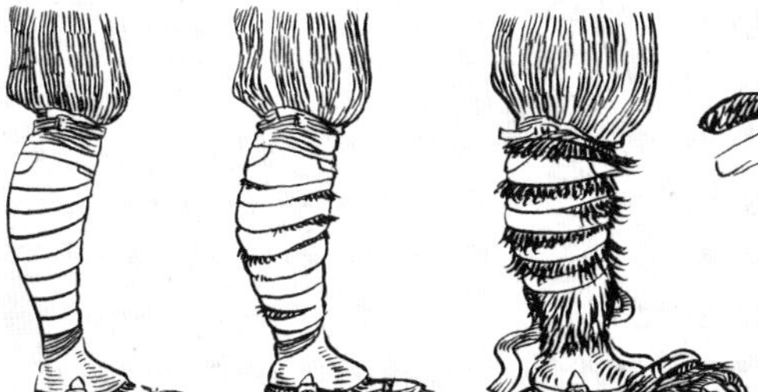

熊への変態はこらえきれない現象。
変態後の体にもぴったり合う服が望ましい。

ヒグマは長いあいだ、
危険で予測不可能な
動物だと考えられてきた。

ヒグマは、いまでこそわずか数か所の山地で静かに生きているに過ぎないが、以前は西ヨーロッパに広く生息する森の主だった。狩人に捕まえられた若いヒグマは「熊の見せ物師」に人間のような仕草を教え込まれ、市場で見せ物になった。さらに、当時の人々にとって、ヒグマは2本足で長時間立っていられる唯一の大きな動物だった（2本足で立つ猿はとても小さかった）。ヨーロッパのヒグマのほとんどが、立っても2メートル以下だったことも、人間も似ているといわれた理由だろう。

ヒグマが人間と似ていたために、いくつかの地域——特にカタルーニャからルーマニアあたりは伝統が濃く残る——では、毎年「熊祭り」が開かれてきた。祭りでは、人が分厚く茶色い毛皮をかぶってヒグマを演じる。ヒグマは群衆に乱入して人を襲い、特に女性を狙ってさらっていくふりをする。ときには、女性に扮した男性と、ヒグマが女性をさらうのを阻止しようとする狩人たちによる寸劇が演じられる場合もある。しかし、いつも阻止できるわけではなく、ヒグマは女性をさらって交尾を迫る。こうした熊祭りの芝居には、直接的か間接的かの差はあるが、巨大な男性器が出てくることが多い。スペイン語で「hacer el oso」（熊をするの意）は、「恥ずかしげもなく人前で口説く」（馬鹿なことをするという意味もある）という意味だし、昔のフランス語の俗語で熊（ours）のように振る舞うという意味の「ourser」は性交をするという意味だった。祭りの行列に現れて踊り、笑いを誘うヒグマは、毛むくじゃらで粗野な野生の人間、卑猥で淫らな男だと考えられてきたのだ。

ピレネー地方に残る『熊のジャン』という昔話は、熊と熊にさらわれた人間の女のあいだに生まれた子どもの生涯を詳細に描いている。バリエーションは多々あるが、内容はほとんどの版で共通している。スウェーデンのウプサラ大司教だったオラウス・マグヌスが1561年に出版した『北方諸国の民話』のなかにも、熊にさらわれた娘の冒険譚が収録されている。当初、熊は娘を食べようと思っていたのだが、「娘の美しい手足を見て愛着が芽生えた。熊は娘を食べずにかわいがろうと決めて、恋人にした。そして交尾した」。やがて娘は子どもを産んだ。この子がデンマーク王の始祖にあたる。このように、マグヌスの版では伝説と結びつけられている。

ぶっきらぼうで不愛想な人が熊に変身する昔話は多い。そこから連想したのか「あの人は熊だ」という表現は社交的ではないことを意

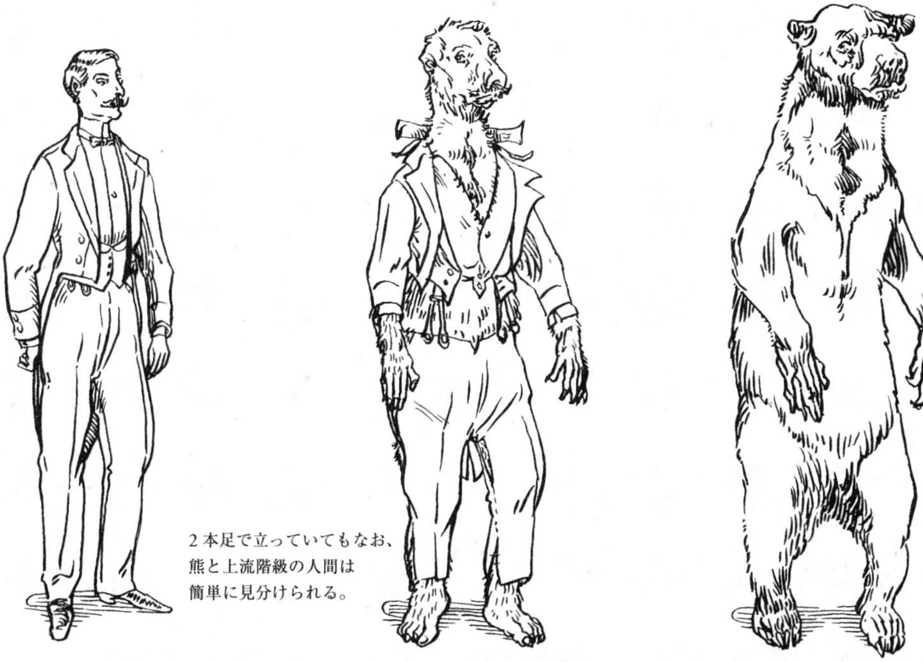

2本足で立っていてもなお、熊と上流階級の人間は簡単に見分けられる。

味する。粗野な人を熊に例える表現は、世界じゅうで見られる。たとえば、シベリアのトゥヴァ地方では、熊は森で暮らすために人間社会を出ていった気難しい男の子孫だと考えられている。同じく、ブリヤート族の神話でも、熊は人間に戻れなくなったシャーマンだとされる。無愛想で乱暴で粗野な熊は、強い力がある危険な動物でもあった。タイプはさまざまだが、熊への変態は北アメリカ、ヨーロッパ、朝鮮でも見られる。いたるところで、人と熊は似ていると考えられていたのだ。民族の祖となる動物、紋章に描かれる動物であると同時に、2本足で立って戦っているときや人間に似た姿勢を取っているときの熊は賛美の対象でもあった。シベリアの狩人は、狩りの危険度が増すにもかかわらず、熊に敬意を表して、しとめる前に熊を刺激して興奮させたという。

たいていの場合、熊は、猛々しい力や制御不能な性欲といった人間の動物的な側面の象徴として描かれる。精神分析的な解釈によれば、夫が熊に変身したという昔話は、夫婦の性的関係が道徳的とはほど遠いことを指している。この場合の熊は、近親相姦忌避の象徴だ。もちろん逆の解釈もある。動物と性的な関係を結ぶのは、いかなる手段を使っても避けるべきだという理由から、熊との性交は禁じられた近親相姦を表しているという解釈だ。私たちは、自分が見たいものを熊に投影する。熊はそれほど人間に近い存在なのだ!

LES HYBRIDES PALÉOLITHIQUES
Mystérieux chamanes

絵が描かれた先史時代の洞窟の壁は、
シャーマニズムが遠い昔の
人間社会に根ざしていたことを教えてくれる。
当時はまだ、
動物が人間の近い祖先だったのだ。

旧石器時代の半獣半人

不思議な呪術師

人間の祖先は、マンモス、ホラアナグマ、
並外れた大きな角を持つ
巨大なオオツノジカなど、
膨大な数の動物と
隣り合って暮らしていた。

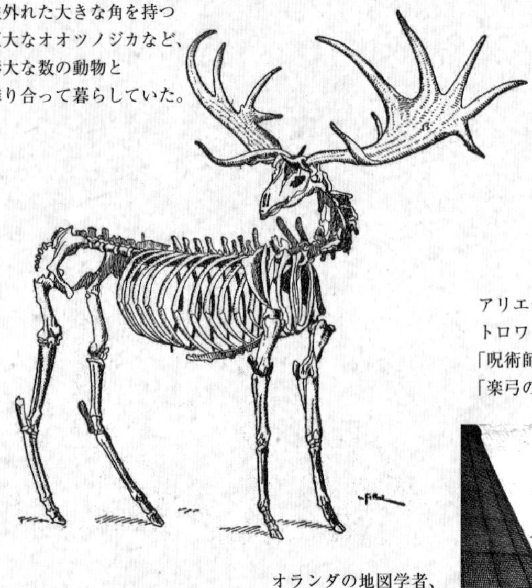

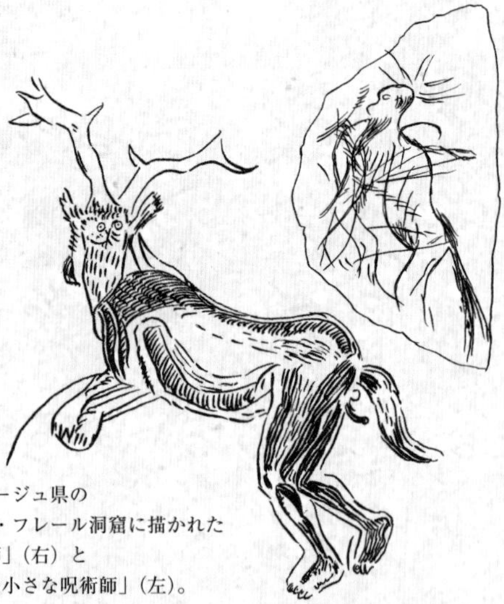

アリエージュ県の
トロワ・フレール洞窟に描かれた
「呪術師」（右）と
「楽弓の小さな呪術師」（左）。

オランダの地図学者、
ニコラス・ウィッツェンによる、
初めて描かれたシベリアの
シャーマンの図（『北東タルタリア』、
アムステルダム、1705年より）。
角と耳は鹿、足は熊。

後期旧石器時代の画家や彫り師は、洞窟の壁にマンモスやオーロックスや熊や馬を描いた、写実的かつ連想をかき立てる絵を無数に残している。そのなかに、半分人間で半分動物のハイブリッドな姿をしためずらしい絵がいくつかある。画家や彫り師が社会的にどのような役割を果たしていたのかもほとんどわかっていないというのに、このような半獣半人をどのように解釈すればいいのだろうか……。さらなる難題だ。

1万7000年前のトロワ・フレール洞窟の壁面に彫られ描かれた2人の「呪術師」は、多くの解釈がなされてきた。1人は毛皮を着て、馬の尻尾と長い髭と鹿の角を生やしている。もう1人は頭がバイソンで両腕の先は蹄だが、後ろ足は人間の足をしている。笛のような楽器を演奏しているように見えるため、「楽弓の小さな呪術師」と呼ばれている。持っているのは楽器ではなく弓で、狩人がバイソンに化けて4本足で群れに近づいていくところだという説もある。今日ではあまり顧みられないブルイユ神父の模写の説明文によると、直立姿勢なのは体を起こしたところを描いたからで、狩りの成功を祈って描かれたとされている。

一方、他の考古学者は、あくまで想像だが「シャーマニズム」的な意味のある壁画だと考えた。彼らの説によれば、2人の「呪術師」は、病の治癒や占いの儀式のために動物らしく見える仮面と衣装を身につけているようだ。おそらく当時の呪術師は、植物やキノコを煎じた薬から得られるトランス状態によって、動物を介して別の世界へ入り込んでいたのだろう。現代——19世紀でさえすでに——の呪術師は、自分たちの力が衰え、真の意味で呪術師が変身していたのは遠い過去の話だと認めている。だが、旧石器時代まで遡らなくてはならないのだろうか?

半獣半人像は近年相次いで発見された。シュワーベン・ジュラ山脈の洞窟では、3万年前のライオンの頭をした人間の像が見つかった。これも呪術的な変態なのだろうか?　それとも人類のルーツに関する神話を表したものなのだろうか?　もしくは、ネイティブアメリカンが部族の祖である動物《トーテム》や部族の歴史を語り継ぐためにつくった物語と同じ類のものだと考えていいのだろうか?

半獣半人像の本当の意味や社会的な役割はわからない。だが、半獣半人は、旧石器時代の人間が動物の世界と密接にかかわっていて、自分たちもその世界を構成する要素の1つだと考えていたことを思い出させてくれる。彼らの周りは野生動物の群れであふれていたし、狩りは日常生活の大切な要素だった。動物の世界は、人間がそこから抜け出し、動物とのあいだに境界線を引いていくためにも重要だった。ネイティブアメリカンのルーツを示す神話やオーストラリアのアボリジニの創造神話「ドリームタイム」でも、人間の自然からの別離はテーマとして繰り返し語られている。

呪術による変態か、狩りのための変装か。神話か、それとも魔術なのか。旧石器時代の壁画と彫刻の謎はおそらく解明されることはないだろう。しかし、これらの絵は人間と動物の両義的な関係がいかに深く、古くから存在しているかを教えてくれる。

L'HOMME ET LA FEMME
Hermaphrodites successifs

変態は、他の生き物がどのように生き、
どのように感じているのかを
研究する恰好の方法だ。
異性以上に違う生き物がいるだろうか?

男と女

相次ぐ両性具有

原始の男女のモデルでは、
いつも男女の役割の違いが強調される。

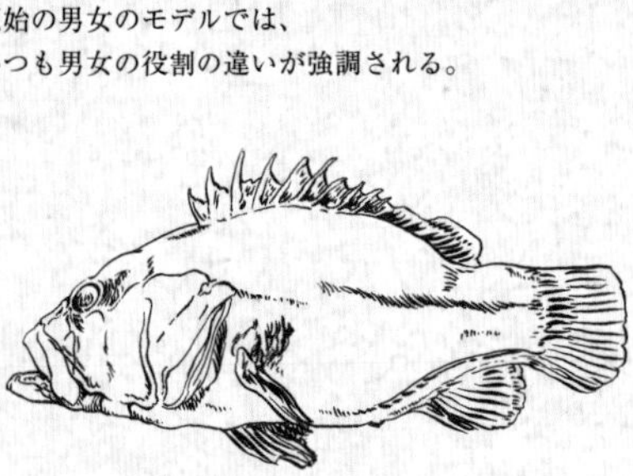

ハタの仲間は生まれたときは雌だが、
10～14歳くらいで雄になり、死ぬまで雄のままだ。

アメリカ人作家アーシュラ・ル=グウィンの小説『闇の左手』(1969年)の舞台は、別の惑星だ。この惑星の住人は基本的に両性具有で、目立った性意識がない。月に数日間、それぞれが接触や感情や欲望に従って、男になったり女になったりする。地球からやってきた語り手はずっと男なので、この惑星では変質者扱いされる。

『闇の左手』のテーマは、個人の人間「性」と男性性や女性性だ(実際に、何が「性質」という領域に属するのかという問題を掘り下げるのはやめておこう)。数は少ないものの、自然界にも雄から雌もしくは雌から雄へ変態する種が存在する。たとえば、魚のハタは生まれたときは雌だが、ある程度の大きさまで育つと雄になる。全体数に雄が占める割合が減って性転換が起こる場合もある。

寄生性甲殻類のフクロムシのような外的な要因のせいで性転換するケースもある。フクロムシの幼生は蟹の腹にくっついて、根っこのようなものを伸ばし、脚先にいたるまで蟹の体内に入り込む。そして、生きるために必要な栄養を宿主の体から吸器で吸い取る。だが蟹は、この

かつて大道芸で見られた「髭の生えた女性」は不安の種でもあり、からかいの的でもあった。

状態でも2年は生きるので、フクロムシの寄生によって宿主が死ぬことはない。影響は別のところで出る。雄の蟹が雌になってしまうのだ。

古代ローマの詩人のオウィディウスにとって、性転換はまさに変態だった。オウィディウスの物語に出てくるティレシアースは、交尾している蛇を杖で叩いた瞬間に女に変身してしまう。オウィディウス自身、「見事」な現象だと称している。男と女の両方を経験したティレシアースは、性交の際に男女のどちらが快感を得るのかというゼウスとヘラの言い争いを調停した。ティレシアースいわく「快感を構成する要素を10としたら、男性が感じられるのは1に過ぎない。だが女性は10すべてを感じる」。ティレシアースはゼウスに賛同したがゆえにヘラの（オウィディウスいわく「度を超えた」）怒りを買い、視力を奪われてしまった。同じ意見は他の文化圏でも見られる。インドの叙事詩『マハーバーラタ』では、インドラ神を怒らせたために女性になったバンガシュヴァナ王が、女性のほうが快感を強く感じられるから女性でいたいと言っている。

16世紀、アンブロワーズ・パレは、いくつかの理由から男から女への変態はあり得ないと述べた。パレは明白だと考えていたようだが、裏を返せば当時の女性蔑視の現れだともいえるだろう。「女性に変わった男性は真の歴史には存在しない。なぜなら自然はつねに完成形へと向かうものであって、完全から不完全へ変わっていきはしないからだ」。反対に、女性から男性への変態は起こりうるように思えるが、それは変態ではなくモンテーニュの話に出てくる不幸な娘のように、ただの偶発的な出来事だと考えられた。「娘が飛びあがろうとして踏ん張ったところ、たくましい男根が生えてきた。それで地元の娘たちのあいだでは、マリ・ジェルマンのように男になったら怖いから大股を広げないようにしようという歌がまだ歌われている」

性転換は、文学の世界ではあまり例がないが、医療の分野では古代からよく見られた。そして、当然のように悪魔のしわざだと考えられた。1596〜1616年にブルゴーニュ伯爵領で裁判長を務め、同時に有名な悪魔学者でもあったアンリ・ボゲによると、悪魔は魔法使いや魔女を誘うために性転換を利用し、それぞれの大衆に合った形を選ぶ。「女が快楽と肉体を好むのを知っているので、快楽によって女を支配したいときは」男に化ける。「魔女よりも魔法使いのほうが淫蕩に耽りやすいので、魔法使いを喜ばせるためには女性に化ける。これはおもにサバトで行われる」

今日、性転換はもはや問題にはならず、少なくともトランスセクシャルが認められた国では新しい地位を得ている。性自認に合わせて外科手術で性別を変えられるようになったのだ。

LES PETITES BÊTES

Sorties de nulle part !

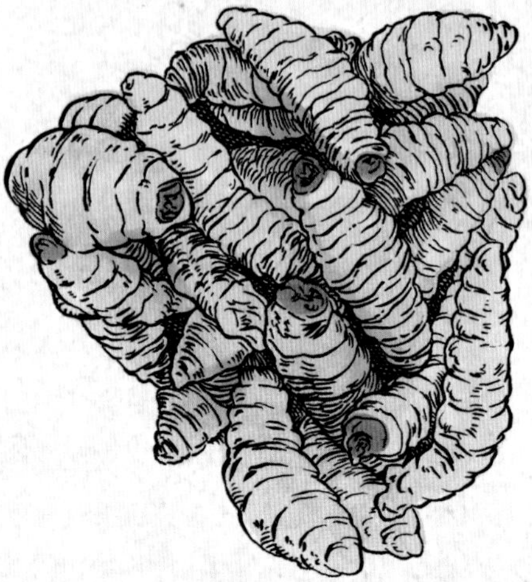

世界が未成熟だったころは、
新しい生き物が次々に発見された。
とりわけ最小の生き物、
最も単純なつくりの生き物は、
絶えず新しくなっていた。
その生き物こそが最も小さく、
単純だと信じられていたのだ。
ルイ・パスツールが現れるまでは……。

小さな生き物

無から現れる！

1485年出版の
自然史百科事典
『健康の庭』に掲載された
自然発生説に関する図。

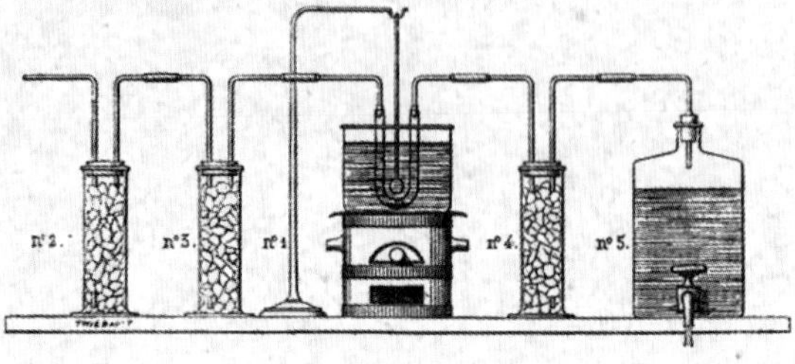

1864年、フェリックス＝アルシメード・プシェが
自然発生説の根拠を示すために行った実験。

当時の人々は、
変態したコガネムシが突然現れるのを見て、
「自然発生的に」生じたと考えた。

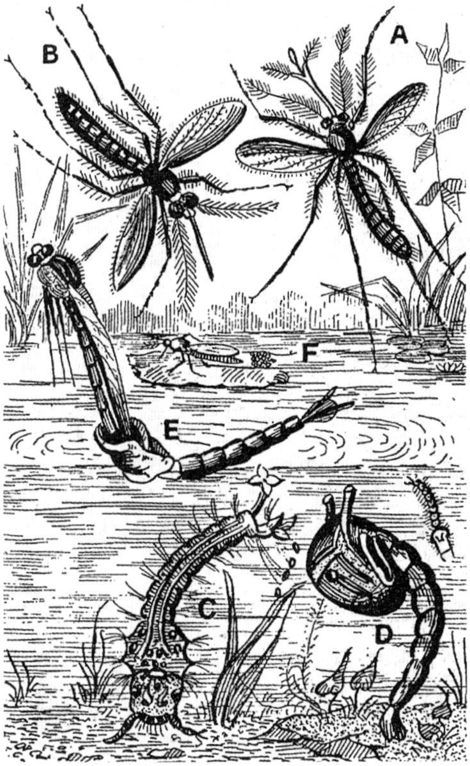

沼地は有機体の自発的な秩序形成に適している。
初期の顕微鏡のお陰で、
最小の昆虫の複雑な構造が明らかになった。

とても長いあいだ、ミミズ、ハエ、その他の昆虫など、あらゆる小さな生き物は有機物の死骸から生まれると考えられていた。自然発生と呼ばれるこの概念は当時の常識で、生体を構成する物質には生命力があるという思想に合致していた。アリストテレスでさえこの説を信じ、「植物、昆虫、動物は親から再生産されるが、太陽の熱で活性化し分解された物質からも生まれる」と述べた。死んだ牛からミツバチが現れる現象は「bougonie」と呼ばれた。古代から、スズメバチやモンスズメバチは馬の内臓から、コガネムシはロバの内臓から生まれると信じられていた。

17世紀になってもなお、博物学者のファン・ヘルモントは、湿った布を箱のなかで発酵させるとハツカネズミが発生すると主張していた。「（布の）優れた点は、小麦粉から生まれたネズミのような未熟児や発育不全な個体がいないことだ。布から生まれたハツカネズミは生まれたときから完成形で、他のネズミのように母ネズミの乳を必要としない」。1784年の『メルキュール・ド・フランス』誌には、「牛の肉から蚕を孵化させる」方法が載っている。挽いた牛肉と桑の葉を壺のなかに交互に重ねて、上から「毎日着て汗を吸った古いシャツ」ですっぽりと覆う。数週間暑いところに壺を置いておくと、「肉が蚕に変わる」というのだ。記事は絶対に蚕ができるとは保証していない。牛に桑の葉を与えて育ててから殺せば、死骸から蚕が生まれるという方法もあった。これは無から動物を生み出す純粋な出現ではなく、有機物の変化による発生、真の変態だと考えられていたのだ!

微生物が死んだ有機物から生まれるのではないと、最終的に科学界が認めるには、1860年のパスツールの実験を待たねばならない。微生物は生きた微生物からしか生まれない。「生命は胚で、胚が生命なのだ。この単純な実験は、自然発生説にかつてないほどの致命的な打撃をもたらすだろう」とパスツールは述べたが、自然発生説をひっくり返すのは容易ではなかった。自然発生説の支持派が強い抵抗を示したからだ。その1人、フェリックス=アルシメード・プシェは「動物の多くは明らかに卵から発生する。数人の科学者はそれがすべての根源だと主張している。彼らの主張は、一瞬で、創造の規範と万物をつかさどる大いなる力を否認したも同然だ。彼らは知性を否定したのだ」。しかし19世紀末には、自然発生説は科学的に否定された。

科学は大きく進歩したが、ダーウィンが提唱した進化論を支持する進化論者をはじめ、科学者は新たな問題に悩まされることになった。偶然でないとすれば、最初の生物はどのように誕生したのか?　パスツールは、「自分の分をわきまえている科学は、どのようにして私たちが生まれたのかを論じるのに科学はなんの役にも立たないと知っている。少なくともいまのところは、起源の問題は科学的な研究の力の枠外にある」と述べた。この問題に決着が着いたのは20世紀だ。今日では、原始の地球環境が生命を生んだとされている!　大気の成分がいまとはまったく異なっていた40億年前の地球に太陽の熱が伝わり、熱水が噴出したおかげで有機質がつくられた。隕石と彗星が地表面に有機質をもたらしたこともわかっている。そうした有機質がどのように生きた細胞と結びついていったのか、生命が誕生した35億年前以降、生き物がどのように長い時間をかけて変態し、進化していったのかは、いまだに明らかになっていない。

LA DAPHNIE
La belle aux branches

ダフネの美しく悲しい物語も、
動物学者の手にかかれば
非常に個性的な
ユーモアのセンスの見せ所となる！

ダフネ

枝の生えた美女

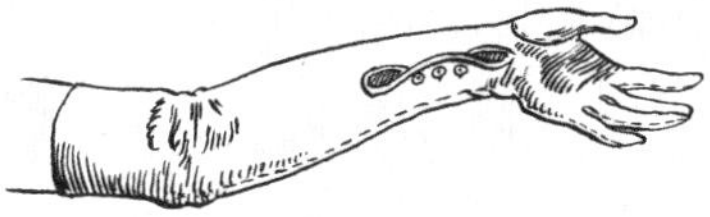

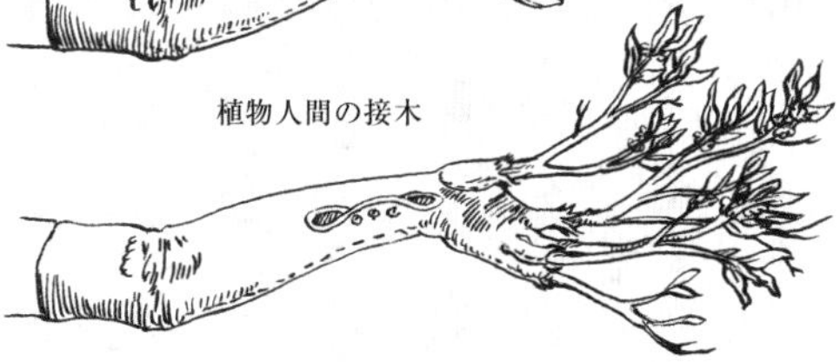

植物人間の接木

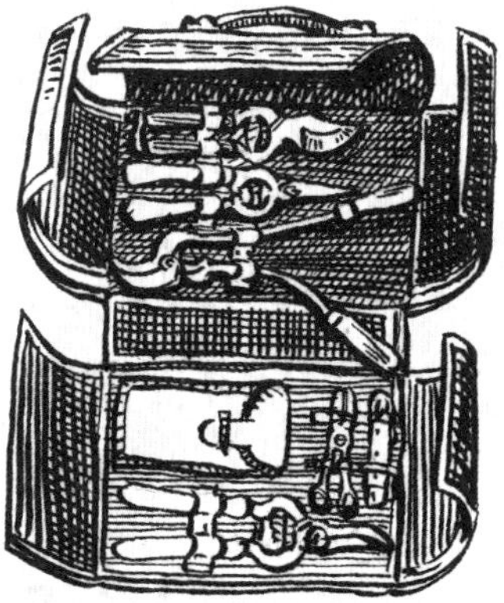

ダフネのマニキュア師の道具箱

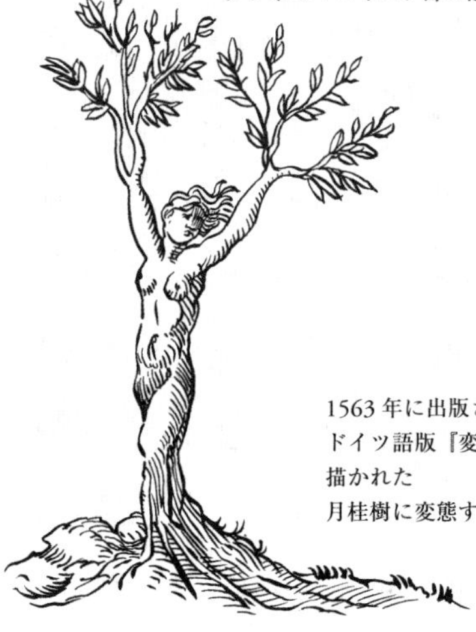

1563年に出版された
ドイツ語版『変身物語』に
描かれた
月桂樹に変態するダフネ。

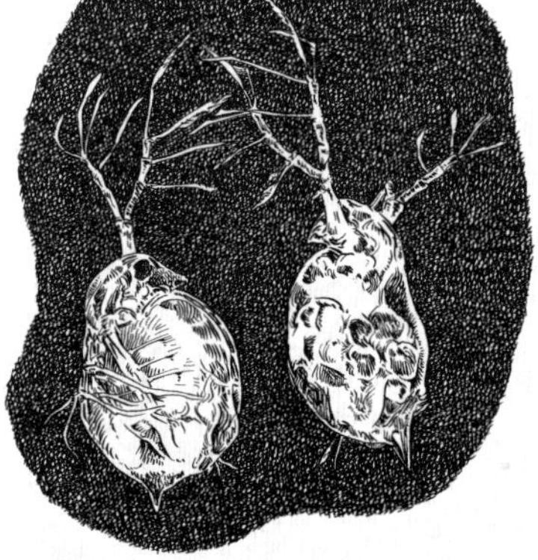

動物学では、触角が「腕」にあたるが、
実際のところ、
ミジンコの「腕」は移動に使われる。

MÉTAMORPHOSE DE DAPHNÉ, FEMME-LAURIER

植物人間ダフネの変態

ダフネの変態は、動物から植物へのめずらしい変態の1つだ。
皮膚が樹皮で覆われ、指が枝分かれした長い枝になる。
つちふまずからは根が生えて、地面に入り込む。茎と花は頭蓋骨の上から生える。

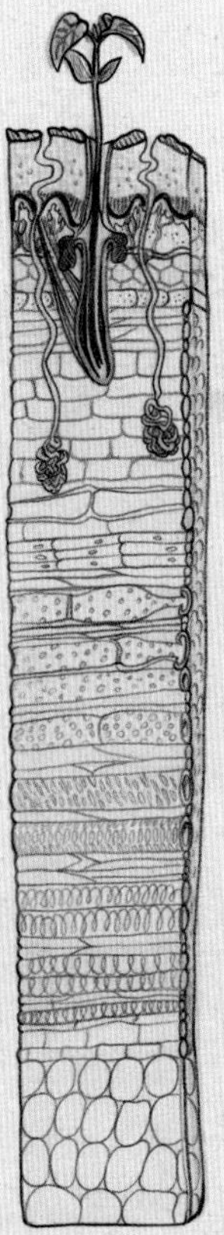

皮膚の構造

表皮のケラチンは
コルク質に変化する。
細毛が伸びて固くなり、
枝分かれしていく。

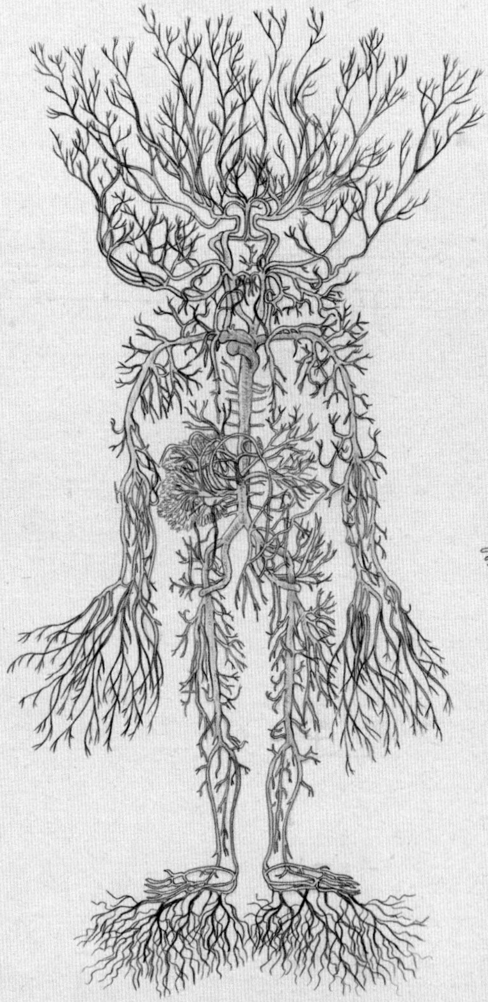

月桂樹に変態した
女性の神経の構造

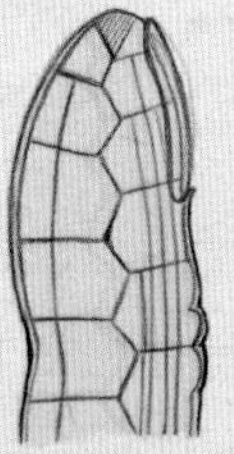

茎に変態した
指の芽の先端

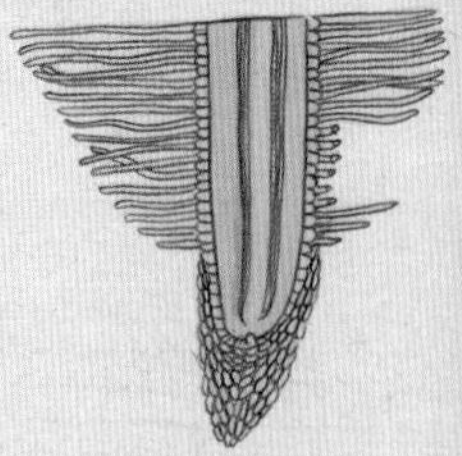

足の裏から出た
根の先端部分の
断面図
（拡大図）

思考の果実

脳は知覚を感じ、貯めておくところ。
思考は脳から生まれる。
なかには、おいしい果実を
育てて実らせる脳もある。

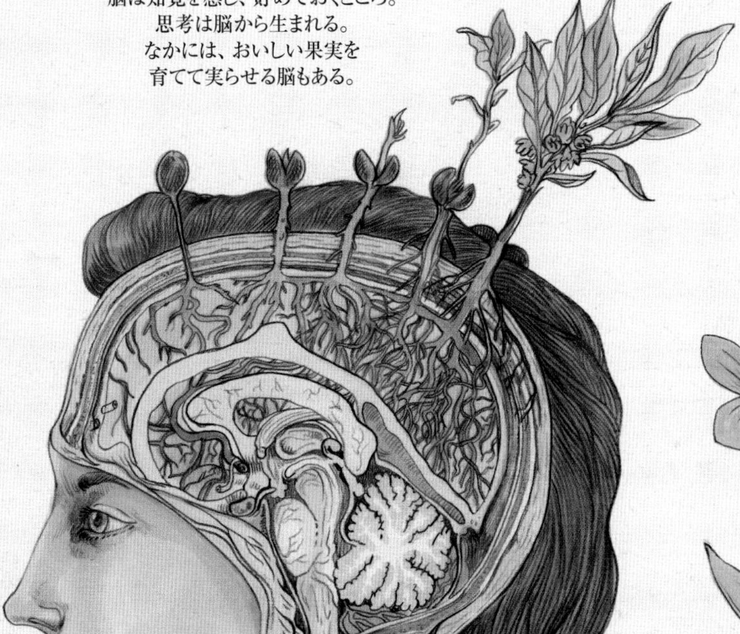

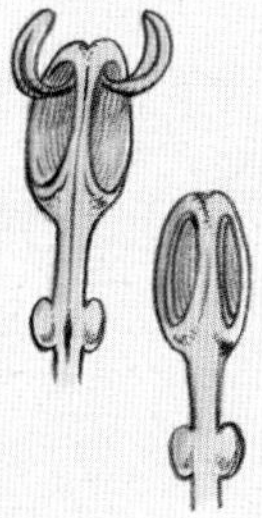

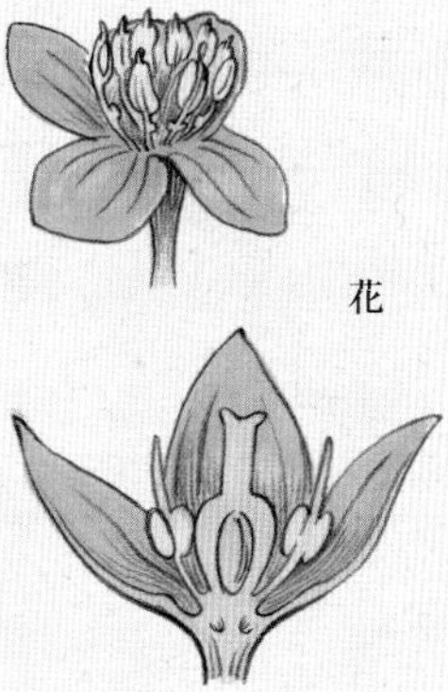

花

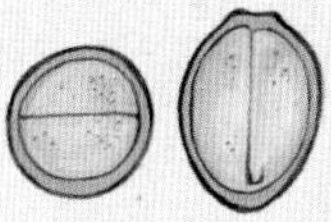

狂気の種

植物人間の
頭のなかで
つくられる。

月桂樹に変態した女性、ダフネ

横から見た図
(Laura zoophyta)

超自然史図版
絵:カミーユ・ランヴェルサッド
幻獣研究家

オウィディウスの『変身物語』は、オリンポスの神々の日常生活を描いた年代記だ。神々の争いや術策が人間の生活に作用して、大きな災いを起こす。ダフネの物語もアポロンとエロスの争いから始まった。言い争いの末、エロスは矢を放った。1本目はアポロンに命中し、その矢のせいでアポロンはダフネに激しい恋心を抱くようになる。だが、ダフネは恋の駆け引きにはなんの興味もなく、「野生動物の皮をまとって」森を駆け回るのが好きだった。エロスは、アポロンを徹底的に嫌うようになる2本目の矢をダフネに放った。にもかかわらず、アポロンは熱心にダフネを口説く。困り果てたダフネは、全力でアポロンを拒み、逃げようとした。ピニオス川のほとりについたダフネは、川の神である父親に私から美しさを奪ってと頼んだ。すると、みるみるうちにダフネは月桂樹に変身した。オウィディウスは、ファンタジー映画のストーリーボードのように、変態の様子を詳細に描写している。「父に祈る言葉が終わるやいなや、ダフネの足は麻痺し、薄い樹皮が華奢な胸元を覆いはじめた。髪は葉に代わり、腕は小枝に、さっきまで足だったところはあっという間に根に変わって地面とつながった。唯一しとやかさを残していた頭は、木のてっぺんに変わっていった」。ダフネの変身過程を表現した絵や彫刻は多く、どれもオウィディウスの描写に忠実だ。他にも、アポロンがいつまでもダフネを追いかけるので必然的に変態してしまったという説や、ダフネという名前はそもそもギリシャ語で植物を指しているという説など、版によって違う部分もある。

奇妙なことに、後世ダフネはある小さな甲殻類を指す言葉になった。金魚愛好家のあいだではよく知られたミジンコは、ニンフとかけ離れた見た目なのにダフニアという学名で呼ばれる。ミジンコを顕微鏡で見てかわいいと思う博物学者は多いが、ダフニアという名前は美しさのためではない。幼生のときの変態ゆえでもない。というのも、大半の甲殻類と違って、ミジンコの変化は卵のなかで起こるのでとても地味だ。卵から孵ったミジンコは幼体と呼ばれ、小さいが成体と同じ姿をしていて一度も変態しない。実際に、1785年にミジンコに関する記録を残し、ダフニアと名づけた博物学者のオットー＝フリードリヒ・ミュラーは、頭に枝のように分岐した触角が生えている変態後のミジンコにしか触れていない。この触角は泳ぐのに使われるので、これ以上ダフネとミジンコの共通点は探しようがない。さらに、ダフニアというのはミュラーによって新たに付けられた学名で、その前は昆虫と間違えられていたため樹木性のノミを指す「Pulex arborescens」と呼ばれていた。動物学上の理由から名前を変える必要に迫られて、ダフニアになったのだ。

神話から動物の学名がつけられるのは、新しい手法ではない。18、19世紀の他の博物学者も同じユーモアセンスをもっていたようで、神々や古代のヒロインの名前を学名に用いた。たとえば、優雅さに欠ける海生多毛類の仲間にネフティス、アフロディーテ、ハルモゾエといった名前がつけられている。

L'ARAIGNÉE
Un cauchemar de tisseuse

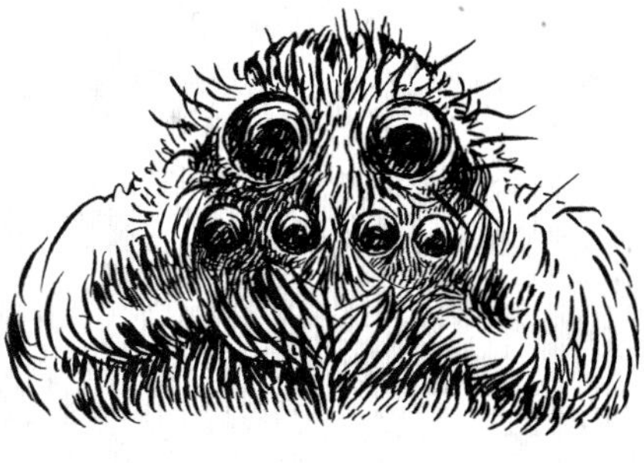

クモ

機織り女の悪夢

リディアに暮らす若い娘アラクネーは、機織りの名人で、その評判はミネルバが嫉妬するほどだった。ミネルバは別名パラス・アテナといい、智の神であり、戦略の神でもあり、職人の神でもある。アテナは、アテナのおかげで機織りの才能に恵まれたというのに思い上がっているアラクネーを罰さずにはいられなかった。アテナの忠告にもかかわらず、アラクネーは負けを認めずにアテナとの勝負を望んだ。そして、2人はどちらが機織りがうまいかを賭けて勝負をすることになった。

アテナのタピスリーには、四隅にゼウスの周りに集まったオリンポス12神が描かれ、神と張り合おうとした人間が死後どのような罰を受けるかを描いた4つの変態の絵が織り込まれていた。ゼウスとヘラの名前を騙って山に変えられたハイモスとロドペー、ゼウスに戦いを挑んで石になったキニュラースの娘たち、鶴に変身したピグミーの女王、白鳥になったアンティゴネ（オイディプスの娘ではなくラオメドン王の娘のほう）。アテナは、意地を張って思い上がりを改めないようならこうなるぞとアラクネーに忠告したのだ。

対するアラクネーのタピスリーも神々の変態を描いていたが、こちらは人間に近づいて魅了したり、力ずくでものにしたりするために姿を変えた神の姿だった。オウィディウスもいくつかの詩で、ゼウス、アポロン、ディオニュソスが雄牛や馬や白鳥やイルカに変身したシーンを羅列している。アテナとアラクネーは、罰と変装という対照的な2つの変態の形を描いたのだ。だが、人間にとっての変態はつねに罰であり、神の変態は人間をうまくだますための変装でしかない。

出来がよかったのはアラクネーのタピスリーだった。だが、アテナは激怒して、アラクネーのタピスリーを壊した。自尊心を傷つけられたアラクネーは糸で首を吊った。落ち着きを取り戻すと、アテナはアラクネーの糸を解いて、アラクネーと子孫をクモにして永遠に糸にぶら下がる罰を与えた。クモへの変態は、救出とうらやましくない運命という両義性を持つ。オウィディウスの細かな描写は事態の恐ろしさを伝えている。「アラクネーの髪が抜け落ちて、鼻と耳も取れた。頭は小さくなり、全身が縮んでいった。足の代わりに脇腹からひょろながい脚が現れた。体の残りの部分を占める腹から糸を吐き出せば、クモになっても人間だったときのように織ることができる」

木になったダフネと同じく、アラクネーの変態もよく絵や彫刻の題材になる。体は女性のままで、伸ばした指がクモの指になっていくところを描きたがる画家や彫刻家が多いなか、ギュスターヴ・ドレだけが、脊椎動物の人間が変身していく難しい様子に挑戦していて、人間の手足を8本脚のクモの脚の位置に生やしている。ダンテの『神曲』に添えられたドレの絵は、オウィディウスの描写に忠実だ。この絵では、アラクネーは仰向けに這いつくばっている。足は消えて、脇腹から6本のオオツチグモの巨大な脚が生えてきている。広げた2本の腕は固くなり、毛で覆われていき、残りの2本の脚になる。大半の読者にとって、最恐のホラー映画に出てくるような耐えがたい絵だ。

蛇やネズミ同様、クモは実際に病的な恐怖症を引き起こす数少ない動物の1つである。かつて市場では、スピドラというクモ女の芸が披露されていて、観客たちを恐怖で沸かせていた。鏡を使ったたくみな仕掛けのおかげで、生きている女性の頭が恐ろしいクモの体についているように見えるのだ。一方、スパイダーマンでは、クモらしい変態といえば糸を出せることだけだ。姿形は完全にクモにならないし、毒も持たないし、巣もつくらない。おそらく、アラクネーに最も近い存在はスピドラだろう。ちなみに、アラクネーはクモやサソリを含む動物学の分類、クモ形類（arachnides）の語源になっている。

しかしながら、悪い評判にもかかわらず、クモはときどき守護者として描かれる。プロテスタントの神学者ピエール・ヴィレは、1545年に出版した『世界に存在する混沌のダイアログ』のなかで、機織り女とクモを比較している。「クモがつくる巣の美しさを思えば、糸を紡げず、縫いものもできず、機織りの技術もなく、家をきれいに保つ技量もない家事の下手な女は、クモとは比べ物にならない。ただし、クモの毒を除けばだが……」。クモは女性を笑い物にすることで名誉を回復したのだ!

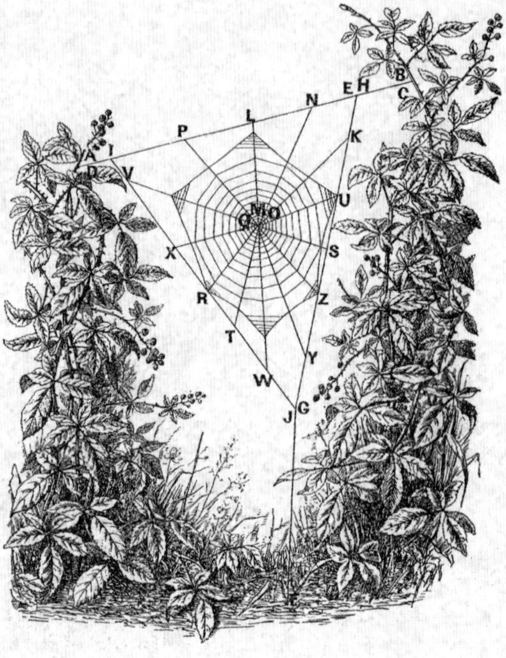

見事な出来の
幾何学的なオニグモの巣は、
機織り女の仕事を連想させる。

ANATOMIE DE LA FEMME-ARAIGNÉE
クモ女の解剖図

クモに変態すると、体の器官が減ると考えられる。
4本の手足は8本の脚になり、顔に複数の小さな目が現れる。
オオツチグモに変態した男性には、上顎に大きな鋏角が現れる。

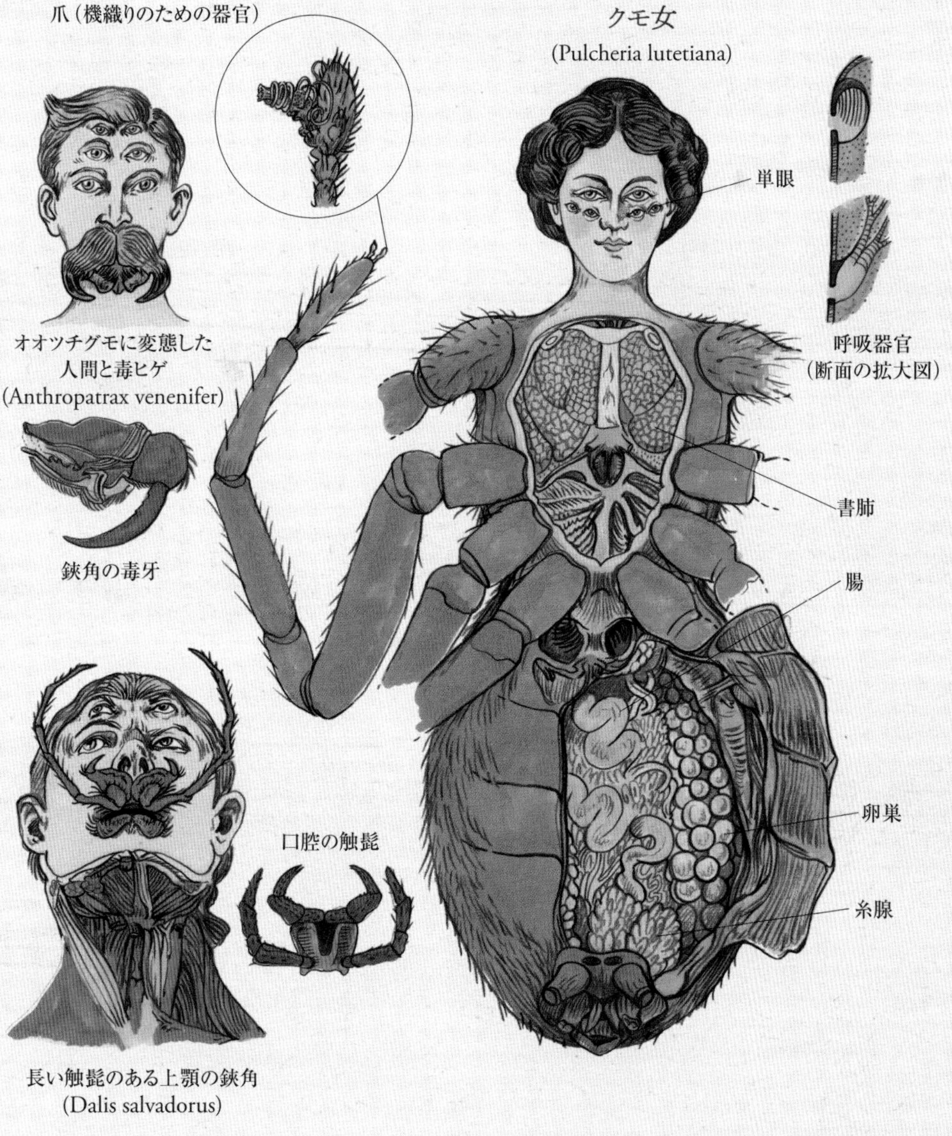

教育博物館「モンストラリウム」、デロール（パリ7区、バック通り46番地）

LE CERF
Le roi peureux

かつて、ケルトの神やキリストの
シンボルとして描かれていた鹿は、
臆病だという理由で
英雄的な動物誌から姿を消した。
鹿への変態は、
たいてい擬人論の力を借りている。

鹿
臆病な王

アクタイオーンの過ちは
偶然の出来事だったが、
アクタイオーンは
「運命に招き寄せられた」と
オウィディウスは書いている。

鹿の角を持つ
ケルトの神、
ケルヌンノス
(グンデストルップの
大釜、紀元前 2 世紀)

牛の角などと異なり、鹿の角は毎年冬に落ちて春になるとまた生えてくる。

アクタイオーンは狩りの最中に、アルテミスの沐浴を見てしまった。怒ったアルテミスはアクタイオーンを鹿に変えた。オウィディウスは、ピンと尖っていく耳、地面へ下がっていく首、細く変わっていく足など、人間の体が鹿へ変わっていく過程を細かく描写している。アクタイオーンは言葉を話せなくなり、アルテミスの沐浴の様子を言いふらすこともできなくなった。「もはや鹿になってしまったアクタイオーンの頬を涙がつたった。なんということだろう!　だが理性だけは人間のままだった」。とはいえ、理性と気質は別物だ。彼の気質は鹿のように臆病になっていた。哀れなアクタイオーンは逃げ回り、自分の猟犬に食べられて死んでしまった。

13世紀に書かれた作者未詳の『解説オウィディウス』では、アクタイオーンと鹿（cerf）のエピソードを「農奴（serf）」になったキリストと解釈している。農奴という人間が背負う不幸を、キリストが引き受けていることの暗示だというのだ。鹿になったアクタイオーンが自分の猟犬に殺されたように、キリストも自らの民に殺された。鹿の角はキリストの冠の棘に相当する。このような神話の解釈は新しいものではない。というのも、鹿は古代の終わりごろから神の使いだと考えられ、キリストと同一視されてきた。角が落ちて生え変わるので、復活の象徴だと考えられていたのだ。

13世紀の読者は、もう1つの鹿への変態物語に憧れていた。かの有名なマーリンだ。魔術師のマーリンは、子ども、老人、獣人、さらには鹿に化ける力を持っていた。鹿は気高さの象徴だった。『ランスロット聖杯物語』にも「マーリンは魔法をかけて、すばらしい姿に変わった。いままで見たどの鹿よりも立派で美しい雄鹿になったのだ。片方の前足が白く、鹿の背中には見たこともない大きな5つのぶちがあった」という記述がある。

ところが中世の末期になると、変態はもはや憧れではなくなった。人間の変態は、人間を自らに似せてつくった神の創造を踏み躙る行為で、悪魔のしわざだと考えられた。悪魔学者のアンリ・ボゲは、マーリンをアングロワという名で呼び、異端だと告発するために、マーリンは「悪魔と人間の女の交わりから生まれた」という突拍子もない話をたくみに著書に織り込んだ。加えて、鹿自体が威厳を少し失った。16世紀、サヴォア地方の有力者だったシャルル=エマニュエル・ド・ヴィルは、発効した重要な条約のなかでアクタイオーンの話に触れている。アルテミスが怒りを鎮めるためにアクタイオーンを鹿に変えたのは、鹿が速さの象徴だからだ。アクタイオーンの運命は、「キリスト教の教義が説いているように、女性の視線とアプローチは避けるべき」と教えてくれる。

2つめの頭が生えてくると、
若鹿はそれぞれ
二股に分かれた角幹を見せつける。

LA SOURIS ET LE CHIMPANZÉ
Les parasites zombifiants

いくつかの寄生虫は、
動物学がおとぎ話や宗教や映画にも
匹敵することを教えてくれる。
流行のゾンビ神話に
生物学的な裏付けを与えてくれるのだ。

ネズミとチンパンジー
ソンビ・パラサイト

ミルメコネマに
寄生されたアリは、
鳥にとって
とてもおいしそうに見える。

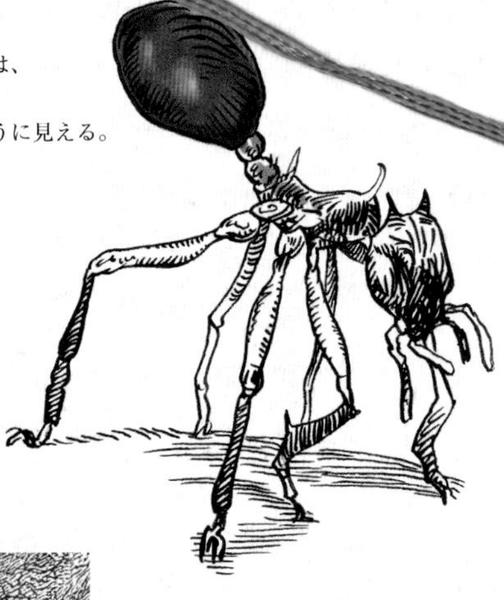

猿はヒョウにとって格好の獲物。

良い猫には良いネズミ
［敵もさるものという意の諺］
（グランヴィル、1845年）
A bon Chat bon Rat.

人間はチンパンジーの最も近い親戚。

ミルメコネマは、南アメリカ大陸の赤道直下に生息するナベブタアリに寄生する細い線虫だ。ミルメコネマの寄生はまさしく変態となって現れる。通常は黒く平たいアリの腹部が、不思議とフルーツに似た赤い大きな球状になるのだ。寄生による変化はそれだけでない。アリはゆっくりと歩き、腹部を上に突き出すようになる。普通ならば、鳥はナベブタアリを食べないが、ふくらんでいるアリはフルーツに間違えられて丸呑みされる。アリにはなんの得もないが、このおかげで寄生虫は鳥の体内で増えることができる。増えた子孫は糞として外に出され、また新しいアリに寄生する。アリの自殺行為は、ミルメコネマという「ゾンビ・パラサイト」のせいだ。ミルメコネマが起こす変態は、実際にヴードゥー教の魔女がつくるゾンビを連想させる。アメリカ映画で血に飢えた「リビングデッド」を指す言葉として使われるようになるまで、ゾンビは魔女の命令に忠実な傀儡状態にある「死人」を指す言葉だった。

寄生虫の一生はたいてい複雑である。異なる環境に暮らす複数の生きた宿主を次々に介していくからだ。寄生虫が起こすゾンビ化は、ある段階から次の段階への移行を容易にし、宿主が死ぬのを防ぐ。動物学者が挙げる多くの例のなかに、人間に直接かかわるものが1つある。トキソプラズマ症の原因になる単細胞生物、トキソプラズマだ。トキソプラズマ症は、成人ならかかっても軽症で済むが、妊娠中の女性がかかると胎児に深刻な奇形をもたらすことがある。

トキソプラズマはネコ科の動物の腸で増える。そこで非常に耐久性の強い「卵」、オーシストをつくり、糞といっしょに外に出す。オーシストは、口から哺乳類や鳥類などの他の動物の体内に入る。その後、トキソプラズマは、新たな宿主の体内で免疫系や神経組織に侵入できる中間形に成長する。その後、一生を終えるためにふたたび腸から避難する方法を探す。つまり、糞として外に出るのである。

宿主を捕食させるために、トキソプラズマが宿主をゾンビ化する力を発揮するのはこのときだ！　生物学者は、トキソプラズマに感染したネズミを例に挙げている。通常、ネズミは猫の尿の匂いを怖がるが、感染したネズミはこの匂いに惹きつけられるようになる。ネズミの脳内のトキソプラズマが、自殺行為を取らせるのだ！　そうしてゾンビ化したネズミを猫が食べ、トキソプラズマは新しいサイクルを始める。

だが、猫とネズミの関係が人間にどう関係するのだろうか？　人間も同じようにゾンビ化するのだろうか？　2016年、生物学者がヒョウとチンパンジーにも同じような関係が見られることを発見した。ヒョウが猫、チンパンジーがネズミに相当する。チンパンジーにとってヒョウが天敵であるにもかかわらず、トキソプラズマに感染したチンパンジーはヒョウの尿の匂いに惹かれるようになるのだ。人間の場合、トキソプラズマに感染すると、反応スピードが遅くなり集中力が低下するなど、神経系に影響が出ることがわかっている。交通事故に遭う確率にもトキソプラズマが影響しているといわれるほどだ。チンパンジーと同じく、先史時代の人間にとってのトキソプラズマは、大型のネコ科動物に出会ったときの死亡率を上げるファクターだったのだろう。

寄生虫によるゾンビ化は些細な変態だが、もたらす結果は深刻だ。ここでもう1つ疑問が浮かぶ。猫が主人に従わないのもトキソプラズマのせいではないだろうか？　猫の気難しさは、程度は軽いがかなり広まっているゾンビ化なのかもしれない……。

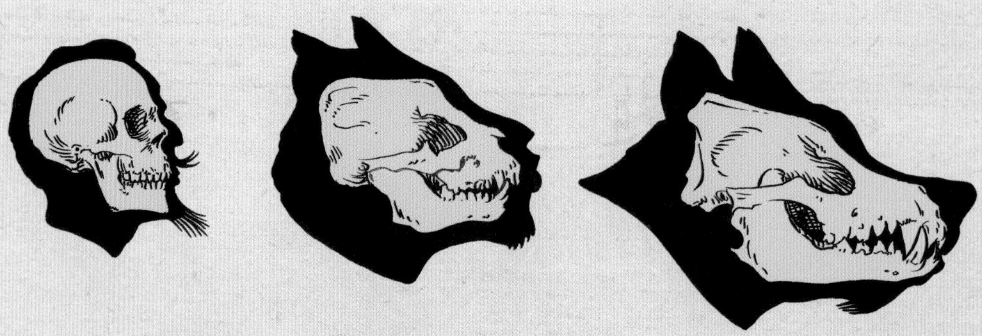

Chapitre 3

Métamorphoses Temporaires

第3章

一時的な変態

ある種の変態には可逆性がある。
明確に異なる2つの性質が1人の人間のなかで共存しているか、
もしくは単に変態が一時的なものだからだ。
自分でいるためには、もう1つの性質も受け入れなくてはならない。

LE LOUP-GAROU
Punition ou initiation ?

狼男は古典的な変態の形だが、
今日では文学・映画のイメージにとらわれて、
活力を失っている。
かつての狼男は多種多様だった。
多くは危険だったが、
ときに意外な姿を見せたものだ。

狼人間

罰か通過儀礼か？

1642年にアルドロヴァンディによって描かれた
2人の「森の人」
もしくは「カナリア諸島の野生の人」。
ペドロ・ゴンザレスと息子は狼男ではなかったが、
ひどい多毛症だった。

狼男ではなく、おそらく本物の狼が群れる様子。

かつて、男ばかりの兄弟の7人目は「マルクー（marcou）」と呼ばれた。今日でもこの呼び方は残っている。一般的に、マルクーは体にユリの花の形をしたあざがあり、瘰癧《るいれき》（頸部の化膿性リンパ腺炎）を治すなどの特別な力を持つと考えられていた。マルクーという名前と不思議な力は、この力を持っていた聖マルクール（マルクフとも）に関係している。一方、マルクーの語源はフランス語の「首に痛みがある（mal de cou）」だという専門家もいれば、ドイツ語で国境の狼を指す「Mark-Wulf」だという専門家もいる。

マルクーの語源と狼を結びつける説は、おそらく7人目の息子に関する別の言い伝えによるものだ。ガリシアでは、男兄弟の7番目は、6人の兄の誰かに代父になってもらわなければ、狼男になる危険性があると考えられていた。南米にも同じ言い伝えがあり、7人目の息子は満月の夜に南米版狼男のロビゾン（lobisón）に変身するといわれていた。アルゼンチンやパラグアイでは、ロシアからの移民が持ち込んだこの言い伝えのせいで、ときおり7人目の息子が捨てられたり殺されたりした。だが、19世紀以降は、大統領が兄弟の7番目を支援し、この慣習を根絶するに足る保護をしたために廃れていった。1973年にはアルゼンチンの大統領フアン・ペロンが7人目の息子への財政的支援を約束する政令を発布し、2014年にもこの政令の重要性が再確認された。

狼から人（あるいは人から狼）に変態するリカントロピー（狼化妄想）の原因は地域によって異なる。オウィディウスは、ゼウスに人肉を食べさせようとして怒りをかったアルカディアの王のリュカオンの話を取り上げた。リュカオンの

狼に着想を得た人相学の図
（シャルル・ル・ブラン、1670年ごろ）

MÉTAMORPHOSE DU LOUP-GAROU

狼男の変態

変態する数日前から、リカントロピーに侵された人は光に過敏に反応するようになる。狼男の変態は満月の夜に起こる。見た目は人間から狼に変わる。皮膚は分厚い毛皮で覆われ、骨と筋肉には大規模な変化が起こる。

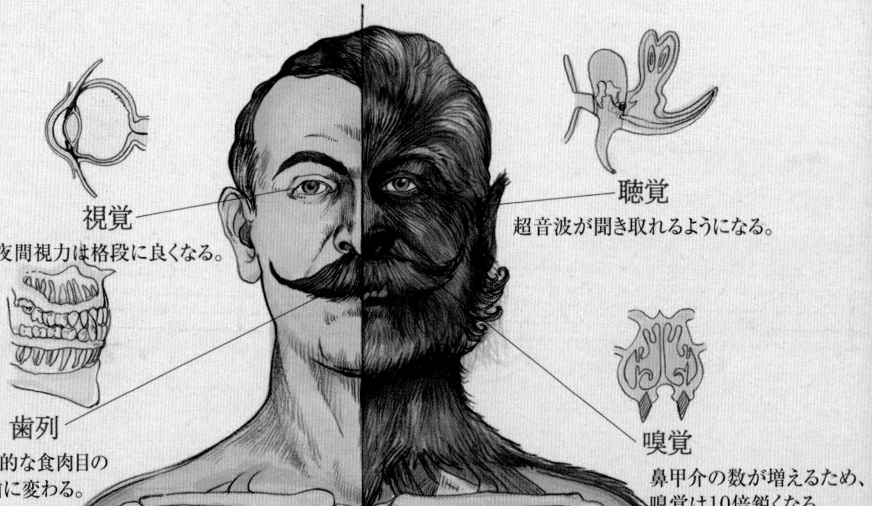

狼男の知覚機能

並外れて鋭い感覚

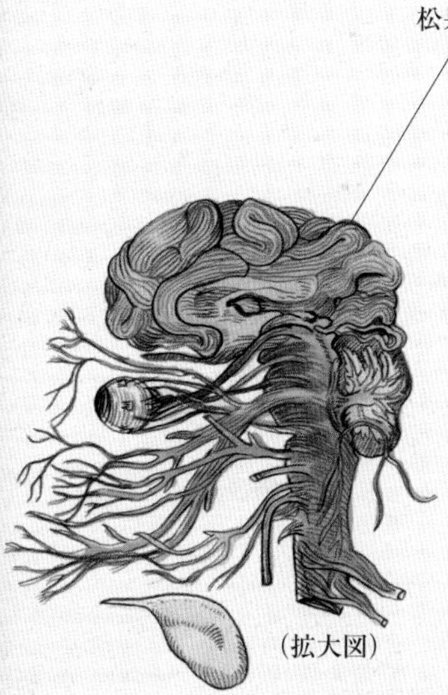

狼男の目つき

変態後の狼男と
本物の狼を見分けるのは難しい。
だが、目だけは人間の形態を残している。
目をじっと観察すれば、
変身前の姿がわかる。

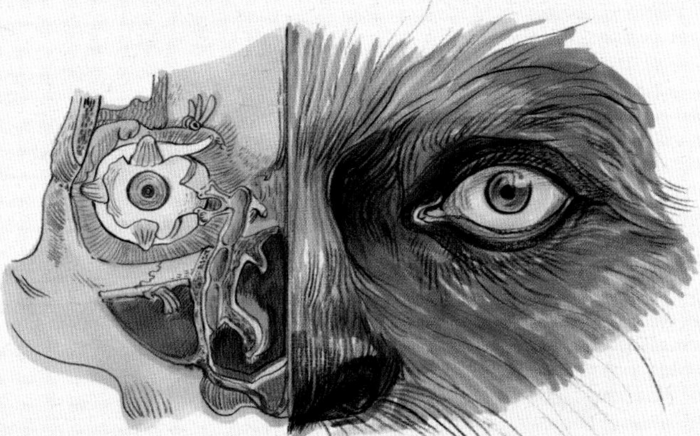

眼球とそのまわりの筋肉
（眼窩を正面から見た図）

第６感

松果体は毎月、
月が満ちていくに連れて
一時的に肥大する。
この働きによって変態が起こる。

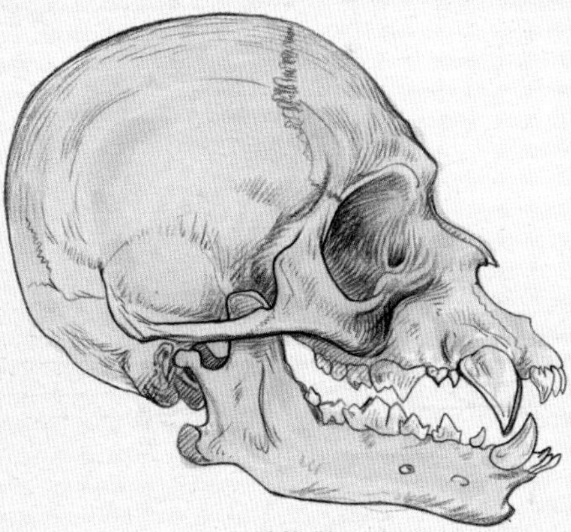

頭蓋骨と歯列
変態途中

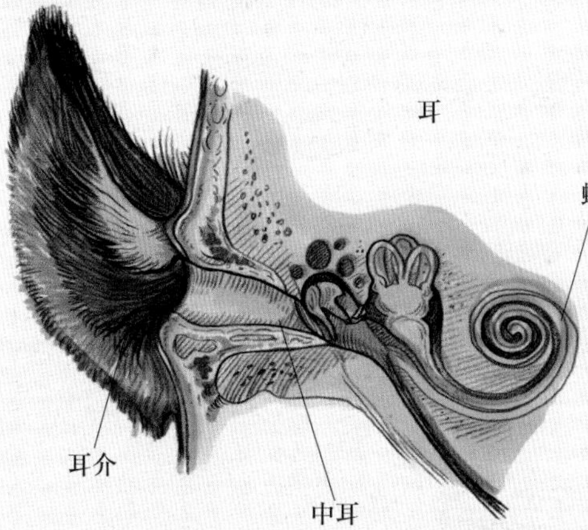

超自然史図版
絵:カミーユ・ランヴェルサッド
幻獣研究家

変態は罪の重さに見合ったひどいものだった。「リュカオンの服は毛皮に変わった。腕は狼の足になった。だが、狼になっても、リュカオンは人間のころの面影を残していた。人間だったときと同じ灰色の髪で、同じ凶暴な顔つきで、目には同じ光が燃えていた。体が荒々しさの化身のように見える点も同じだった（中略）熱狂に駆られ、相変わらず血に飢えていたリュカオンは、その狂気を羊の群れに向けた。そして羊を引き裂き、なおも流血を喜んでいた」

リュカオンは完全に狼に変態しているが、だからといって彼を狼男と断定することはできない。だが、狼に変態する呪いにかかった最初の1人なのは確かだろう。実は、2世紀のギリシャの地理学者パウサニアスが「アルカディアの民いわく、リュカオン以降も、ゼウスに生贄を捧げると他の男たちが狼に変態したらしい。それっきり狼になるというわけではない。狼になっているあいだに人間の肉を食べないと10年後に人間に戻ることができるが、人間の肉を食べてしまうとずっと狼のままだという」と記している。誰が狼になるかはくじ引きで決められたが、これは罰というよりも、むしろ狩人に必要な捕食者としての技術を獲得し、人間社会に戻ってこられるかを試す通過儀礼だ。プリニウスはこの話をシンプルな寓話だとしているが、シャーマニズムの儀式だと主張する説もある。

作家で詩人のマリー・ド・フランスによって1280年ごろに書かれた『ビスクラブレの小曲』は、まったく異なる狼男の物語を伝えている。ビスクラブレとはブルターニュ地方の狼男のことで、マリーいわくノルマンディー地方のgarwalやgarufに相当する。物語には、週に3日姿を消すブルターニュの領主が出てくる。領主の妻は、なぜいなくなるのかとしつこく夫を問い詰めた。すると領主は「妻よ、私はビスクラブレになるのだ。広い森の奥深くに入り、獲物を探して略奪をしているのだよ」と答えた。妻は夫を裏切って、夫が人間のときに着ていた服を隠し、人間に戻るのを邪魔した。元領主の狼が狩りの最中に王に捕まってしまったとき、狼は人間たちにとても友好的な態度を見せた。ただし、彼が狼になっているあいだに妻を奪った騎士に対しては攻撃的だった。領主の変態の理由はわからない。しかし、物語のなかで本当の悪人として最終的に罰を与えられたのは、領主の妻と新しい夫だった。19世紀末にポール・セビオが収集した多くの昔話と信仰のなかに、不幸な領主を苦しめた呪いの理由を知る鍵がある。「ブルターニュ地方西部では、10年以上告解をしないか、聖水盤に指をつけずにいると狼になってしまうと信じられていた」。また、ノルマンディー地方の司祭は、犯罪を目撃したのに犯人を告発せずにいると狼男に変身するぞと人々を脅していた。このような例を見れば、かつてノルマンディーやブルターニュで狼男の言い伝えが多かった理由がわかるだろう。19世紀の歴史家、ジュール・ミシュレは、16世紀に魔女狩りを先導した裁判官で、狼男も同じように目の敵にしていたアンリ・ボゲについて次のように述べている。「ボゲは狼男が火にくべられる前に、絞め殺すような人間性の持ち主だった。だが、狼男は必ず生きたまま焼かなくてはならなかった（中略）彼ほど執拗に狼男を駆逐しようとした裁判官はいない」

LA PEAU DE L'OURS BLANC

Pelages et plumages

変装は変態なのか？
世界の神話とおとぎ話は、
人間がたやすく
他者の皮をかぶれることを教えてくれる。

白熊の皮

毛と羽

ノルウェー人にとって、
白熊狩りは危険をともなう行為だった。

イグルーから出て数歩で、
人間は完全に変態する。

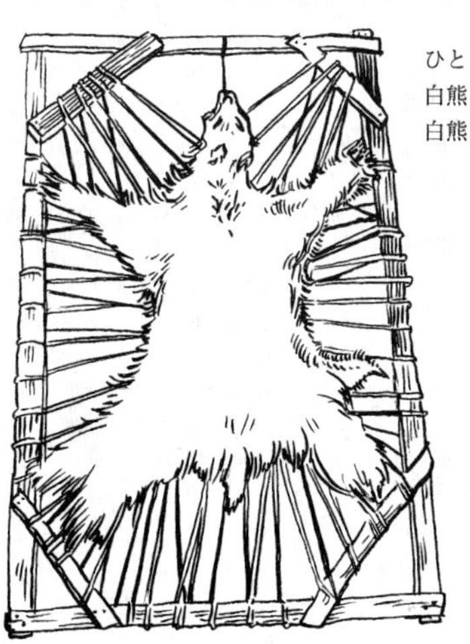

ひとたび干せば、
白熊の皮は
白熊のものではなくなる。

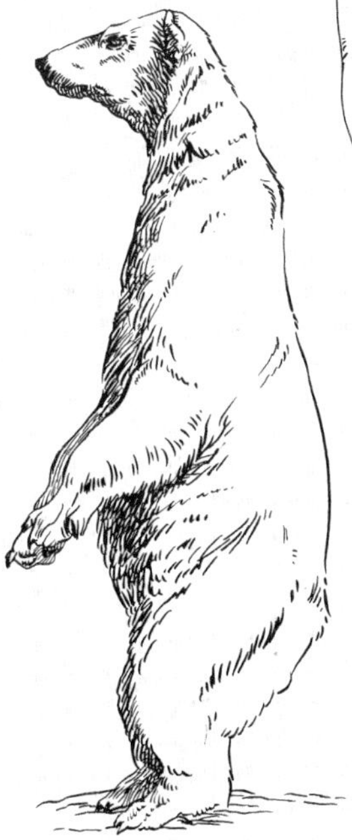

離れたところから見ると、
熊のシルエットは
背の高い人間のようにも見える。

イヌイットは白熊を「人間に限りなく近い存在」だと考えていた。白熊は人間と同じく、アザラシを食べ、2本足で立つこともできる。力が強く、動きが速く、好奇心が旺盛で、忍耐強く、おそらく人間よりも賢いとさえ考えられていたのだ。狩人は白熊の恨みを買わないように、熊を殺すときには贈り物をした。贈り物は銛、肉、靴などだ。限りなく人間に近い白熊は、家に入るときに毛皮を脱ぐだけで人間になれると信じられていた。イヌイットには、熊をしとめた日は毛皮といっしょに熊が家に入ってしまうので、入る前に必ず上着を脱がなくてはならないという狩りのルールがあった。

皮を変えるだけで変態できるという力は、北極圏に暮らす人々の昔話のテーマによく見られる。たとえばシベリアのコリャーク族には、世界ができたころは、動物が皮を脱いで人間になったり、反対に人間が皮をかぶって動物に変身したりできたという伝承がある。どの生き物も、皮のいちばん下は人間の姿をしていると考えられていたのだ。白い水玉模様の帽子をかぶっていた人は、ベニテングダケになった。女ものの服を着ていた男は女になったし、男ものの服を着ていた女は男になった。つまり、変態は本当に変化するのではなく、もう1つのアイデンティティを手に入れるようなものだった。毛皮を着るように、アイデンティティも借りることができた。2つの状態は共存し、人間の性質は動物になっても残る。毛皮のコートを脱げば、人間に戻ることができるとされていた。

ということは、変態させないためには皮を隠すか壊してしまえばいい!　このパターンは、若い娘がたいていの場合父を不幸な定めから救うために、狼やイノシシやカエルと結婚する昔話で繰り返し用いられる。フランソワ＝マリー・リュゼルが収集した『バッス・ブルターニュの昔話［*Contes populaires de Basse-Bretagne*］』のなかに、「灰色狼」という話がある。狼との結婚を強制された花嫁が、実は夫が狼の皮を被った若く美しい王子であることに気づく。あるとき、やむなく家を留守にする狼は、妻に「皮が濡れたり、燃えたりしないように見張っていてくれと頼んだ。皮がなくなってしまえば、鋼の靴が3足すり減るまで探し回らないと私たちは再会できなくなるだろうと王子はいった」。結局、娘の妹が皮を火にくべるというお決まりの展開になり、娘は王子にふたたび会うために長い試練を乗り越えなくてはならなくなる。

形はかなり違うが、「動物のコート」というテーマはブルターニュ、ドイツ、ロシアに伝わる白鳥女の話にも見られる。有名なのは昔話の『賢女ワシリーサ』だ。また、モンゴル系ブリヤート族のあいだにも次のような昔話が伝わっている。狩人がバイカル湖で9羽の白鳥を見かけた。白鳥は湖岸に羽を置いて9人の娘に変身した。狩人はそのうちの1羽の羽を隠し、飛べなくなった娘と結婚する。2人のあいだには11人の子どもが生まれ、彼らがブリヤートの11の部族の始祖になった。だが、狩人の妻は羽を取り戻し、子どもたちを守り続けることを約束してユルトの煙突から飛び去ってしまった。その約束通り、大きく白い母なる白鳥は、毎年欠かさずバイカル湖に戻ってくる。

LE CYGNE
Les amours d’un palmipède

レダと白鳥は、何世紀ものあいだ
絵画や彫刻に描かれてきた。
だが、いったいなぜゼウスは若く美しい娘を
喜ばせるのに白鳥を選んだのだろう？

レダと白鳥（1世紀、ローマ時代のオイルランプ）

白鳥
水鳥の愛

ゼウスは優雅さと勇気を示すために
白鳥を選んだのかも知れない。

1642年にアルドロヴァンディが描いた鶴人間。ルネサンス以前、鳥と人間を融合させた絵はヨーロッパのあちこちで見られた。

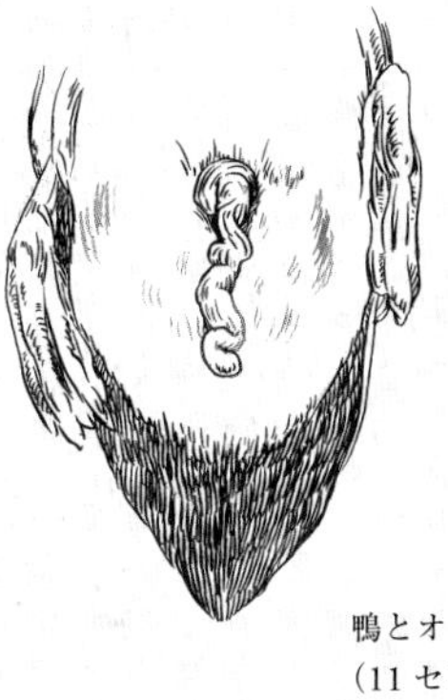

鴨とオタテガモのペニス
（11センチメートル）

レダと白鳥
（ルイ・クルタ、1875年）

博物学者のビュフォンによると、白鳥は鳥の王である。その「穏やかな威信」はワシと対をなす鳥類の皇帝だ。長所のなかでも「大きさ、威厳、優美さ。威力と強さと勇気と意志があり、しかもそれを悪用するのではなく身を守るためだけに使う」ところがすばらしいとビュフォンは記している。「優雅な輪郭、丸みを帯びた形、美しい曲線、輝くような純白、しなやかで力強い動き」といった身体的な特徴も忘れてはならない。さらに、ビュフォンは「白鳥はいつも愛を表す鳥として描かれる。世界一の美女の父親が白鳥だったという霊的でのどかな神話にふさわしい」と述べた。世界一の美女とは、トロイア戦争の原因になったヘレネのことだ。

実は、ヘレネはゼウスの変態から生まれた。白鳥に化けたゼウスはワシに追われて、川で水浴びをしていたレダ姫のところへ逃げ込んだ。そして白鳥の姿を利用してレダを誘った。実は、ワシはレダの父親の仇を討とうとしていたアフロディーテだったとする版もある。いずれにせよ、レダは白鳥と交わったあとで2つの卵を産み、1つ目の卵からはクリュタイムネーストラーとカストールが、もう1つからはヘレネとポリュデウケースが生まれた。レダとゼウスは鳥のやり方で交わったと伝えられているので、レダはゼウスの変態によって間接的に子を宿されたと考えられる。

白鳥に化けたゼウスとレダの出会いを描いた芸術作品はとても多い。古代の浅浮彫りには、レダと同じくらいの大きさの白鳥がしばしば絡み合った姿で描かれている。ときには、白鳥の雄が雌にするようにレダの首をくわえていたり、すっかり受け入れた様子のレダにキスをしていたりする。何世紀ものあいだ、ミケランジェロ、ベロネーゼ、ジェリコー、ダリ、その他多くの芸術家が、このシーンを描くために神話の古さを利用してきた。ブーシェの絵ではレダが恍惚として白鳥を受け入れている。白鳥は首をもたげて、レダに狙いを定めている。さらに、ブーシェが描いた別の絵では、明らかに体を許したレダの性器を白鳥が覗き込んでいる。ちなみに、イタリア語の鳥（uccello）という単語は男性器も指す。

しかしゼウスが白鳥を選んだのは驚きだ。鳥類にはペニスがないのに、なぜゼウスの色欲の象徴として白鳥が選ばれたのだろうか?　実は、ガチョウと鴨の雄のように、白鳥の雄にも総排出腔から露出した性器があるにはある。鳥類の交尾は、この器官を膣の役割がある雌の総排出腔に入れる。一般的に、鴨の擬似ペニスは5〜9センチメートルだが、アカハシビロガモの仲間では体長の半分の45センチメートルになることもある!　白鳥の擬似ペニスはもっと小さい。

鴨が交尾の際にとても荒々しいのに対して、白鳥の交尾は繊細だ。この点もいつものゼウスの激しさとは対照的である。ビュフォンはこう述べた。「相思相愛の白鳥は惜しみなく優しい愛撫を繰り返し、まるで快楽のなかに喜びを見出しているようだ。交尾の前段階として、白鳥は首を絡み合わせる。長い抱擁に酔ったかのように呼吸を合わせる。身を焼く情熱を伝えあい、交尾が終わると雄はすっかり満足する。一方、雌はまだ火照っていて、興奮した様子で交尾を続けようとする。結局、雌は渋々去っていき、水浴びをして火照りを覚ます」

LA CHAUVE-SOURIS
Zoologie du vampire

吸血鬼とコウモリは
遠い昔からかかわりがあるように見える。
だが、この関係は
動物学が生み出したものに過ぎない！

コウモリ

吸血鬼の動物学

真の吸血鬼は
ラテンアメリカの
夜の生活を堪能している。

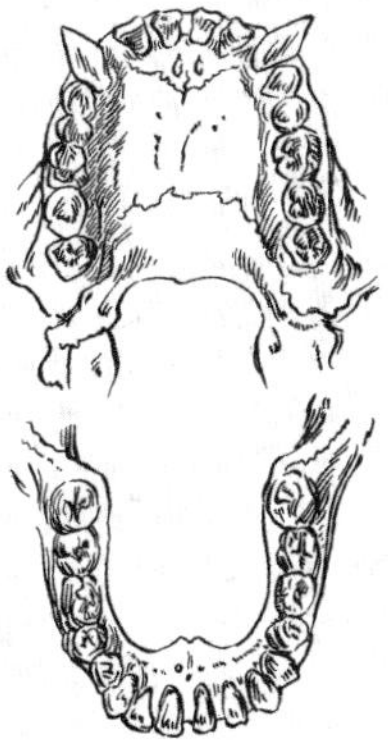

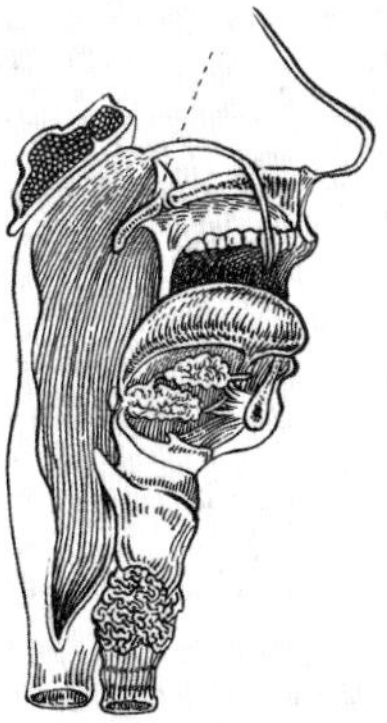

大人の吸血鬼を確実に見極めるためには、
歯列を観察すればいい。
歯と口腔の解剖図（上右図）には、
なかが空洞状の犬歯と食道をつなぐ、
吸った血が通るための管がある。

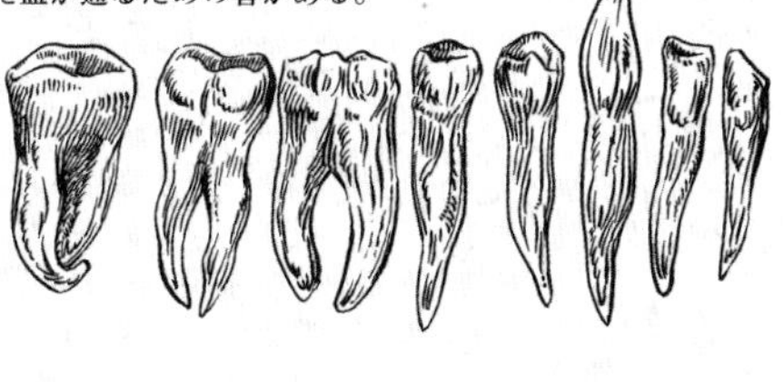

人間は鳥への変態を夢見てきた。だがコウモリに変態したいと考える人は少ないだろう。空飛ぶ動物は、空を飛びたいという人間の太古からの夢を満たしてくれるが、暗闇を飛ぶとなると空を飛べる魅力も消え去ってしまう。コウモリの姿は昔から嫌悪の対象だった。おもに昆虫を食べるところも、逆さまになって寝るところも、コウモリの威厳を取り戻してはくれなかった。

現代のヒーローのなかで、「コウモリ男」のバットマンは、特別な力を持たないめずらしいヒーローだ。任務に出かけるときの姿は仮装でしかない。バットマンは変態せず、実のところ、夜に活動するのを好む以外にコウモリとの共通点はない。想像の世界では、夜に活動する人間は吸血鬼だけだ。吸血鬼は一度死んだ人間で、夜になると墓から抜け出して生きている人間の血を吸いにやってくる。そしてコウモリに変身する力があると一般的に信じられていた。コウモリと吸血鬼を結びつける神話ができてからというもの、このイメージは映画によって私たちにすっかり染みついている。

しかし、吸血鬼とコウモリの関係は、最初から自明ではなかった。もちろん夜はとても重要な要素だが、夜に生きる生き物は他にもいる。言語学者によると、フランス語のコウモリ（chauve-souris）は古いフランク語でフクロウを指す「kāwa」という単語に由来するらしい。吸血鬼というと、大きな黒いマントをまとい、飛び立たんと翼を広げるかのように腕を伸ばす呪われた伯爵の姿を想像する人も多いだろう。1931年の映画『魔人ドラキュラ』で、監督のトッド・ブラウニングは、襲撃が迫っていることを示す印としてドラキュラのイメージとヒロインの窓の外を飛ぶコウモリを用いた。しかし、ブラウニングの映画の吸血鬼像にはコウモリ以外の動物の要素も取り入れられた。オポッサムとアルマジロだ!　おそらく彼がテキサス出身だったことも影響しているだろうが、魔人ドラキュラは完全にコウモリに重心を置いているわけではないのだ。また、1917年に公開されたムルナウ監督の『吸血鬼ノスフェラトゥ』の吸血鬼像には、ハイエナ、ネズミ、クモ、さらには淡水に住む吸血鬼である「透明で実体がなく亡霊に近い」ポリプまでが取り入れられている。この映画の吸血鬼が着ている細身のフロックコートは、まったくコウモリらしくない!

これらの映画は、すべて19世紀の小説、とりわけ1897年にブラム・ストーカーが出版したかの有名な『ドラキュラ』を元にしている。ストーカーの吸血鬼は「ネズミ、フクロウ、コウモリ、シャクガ、キツネ、オオカミのような劣った生き物を従わせる」ことができる。吸血鬼の物語では、当時広く知られていた狼男と同一視されて

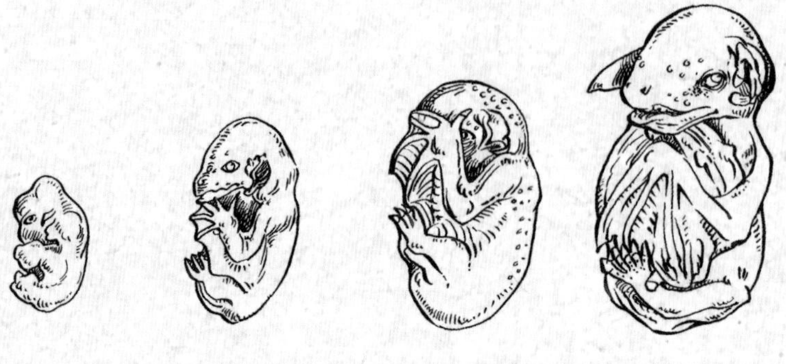

動物の世界ではよくあることだが、吸血鬼の祖先らしいいくつかの特徴が最も顕著なのは、胚の段階。

狼がしばしば引き合いに出された。だがストーカーは、やはりコウモリを重視したようだ。『ドラキュラ』には、「なんですって、教授!　ルーシーを襲ったのはコウモリだというんですか?　そんなことがこの19世紀のロンドンで起こるとでも?」という記述が見られる。

しかし、ストーカーの少し前の時代まで、コウモリと吸血鬼はまったく関係がなかった。1872年に出版されたシェリダン・ル・ファニュの小説『カーミラ』では吸血鬼の変態の様子が細かく描写されているが、なんと蛹から出てきている。主人公の若く美しい「吸血女」は、自分を幼虫と蛹のあいだの中間形だと言っているのだ。彼女はその後の変態で黒猫になることを選んでいるので、昔ながらの魔女に近づいたといえるだろう。そして、猫の姿で語り手の女性に噛みつく。『カーミラ』にはコウモリは一度も出てこない。

吸血鬼は18世紀末に西ヨーロッパに伝わり、その後血を吸う生き物と同一視されるようになった。1693年5月の『メルキュール・ギャラン』誌では、吸血鬼について「ポーランドやおもにロシアにいるとてつもなく強い存在。ラテン語では「Striges」、東欧では「Upierz」と呼ばれる死者の体」と記されている。本によっては、「oupires」や「wapierz」やヴァンパイアとも呼ばれる。1759年版のルイ・モレリの『歴史大辞典』には、吸血鬼について「VAMPYR:スラヴ文語で吸血するものという意味。生きている人の血を啜る罪を犯した死者のユーゴスラヴィア北部での呼称」と明確な定義が載せられた。

ビュフォンは、吸血コウモリを吸血鬼《ヴァンパイア》と呼んだ。

中央ヨーロッパでは生ける死者としてのヴァンパイアが広く知られていて、生きている人間のところに現れた死者の心臓に釘を打ち込んだり体を焼いたりするために、死体が掘り返されることも多かった。ベネディクト会修道士のドン・オーギュスタン・カルメが1746年に出版した『霊魂の幻とハンガリー、モラヴィアなどの吸血鬼や幽霊に関する概論』に、この邪悪な存在に関する長い記述が見られる。カルメは迷信が生んだ幽霊と、カトリック教会が認めた真の復活を分けようと試みた。というのも、当時は怪奇を語る話が急速に増えていて、(当然本当に起こった) 敬虔な教えを説いた話の価値を貶めていたために、選別をする必要があったのだ。

カルメは、吸血鬼とコウモリが似ているとは言っていない。唯一共通しているのは、古代に子どもの血を吸うと考えられていた、半分女で半分鳥のハイブリッドな真夜霊 (stryge) が祖先だという点だ。おそらく古代においては、このような存在が吸血するのは一般的だったに違いない。現にドラゴンは自分の体よりも大きい象だろうと血を吸ってしまうと考えられていた。血を好み膜状の翼を持つドラゴン (ラテン語では「Draco」) は、ドラキュラ伯爵とコウモリを連想させるが、3つが関連づけられたのはずいぶんあとの話だ。

1764年、ヴォルテールは『哲学辞典』の一項でカルメの吸血鬼に触れ、長々とその内容を揶揄した。「真昼間から民衆の血を啜っている相場師や徴税請負人や実業家がいる。だが、やつらは堕落していても死んではいない。

変態の際には、とりわけ鼻と耳の軟骨部分に力が加わる。

真の吸血鬼は墓の下にいるのではなく、とても居心地のいい宮殿にいる（中略）真の吸血鬼は王族からせしめた金と民衆の犠牲のもとに生活している修道士だ」

コウモリと古代の鳥の真夜霊が似ているという考えは、とつぜん生まれたわけではない。何人かの博物学者はコウモリの外見の雑種性に疑問を呈していたし、ベルナルダン・ド・サン=ピエールは『自然の調和［*Harmonies naturelles*］』で、コウモリをときに鳥類に、ときには四足類に分類している。乳で子どもを育てる鳥、トガリネズミ、空飛ぶ狐、夜行性の動物……。おそらく、穀物倉の入り口にコウモリを釘で打ちつけるという広く知られた風習を生み、その風習の正当性を裏付けるコウモリへの敵意の背景にあるのは、こうした曖昧な性質だと考えられる。

ビュフォンは同時代のコウモリの評判を細かく収集した。「すべては創造主の手でつくられたのだから、どんな生き物であっても等しく完全な姿をしているが」と譲歩したうえで、コウモリに関しては欠点をあげつらっている。「怪物じみた生き物で、非常に異なる2種類の属性が混じり合っている。我々が示した自然界の大きな分類のどれにも似ていない。四足類としては不完全で、鳥としても不完全だ」

ビュフォンの少し前の時代に、博物学者が南米の動物相に関してまとめた書類が残っている。ここで触れられているのは、ヨーロッパに生息する種よりも恐ろしいコウモリだ。「眠っている人間や動物の血を、目を覚ますほどの痛みは与えずに吸うので、吸血鬼と呼ばれている」。ビュフォンがトランシルヴァニア地方の生ける死者と南米のコウモリを結びつけたのは、この記述のせいだった。文学が動物学からインスピレーションを受けたのではなく、動物学が実在の動物に絵空事と古い言い伝えのイメージを押しつけたのだ。

MÉTAMORPHOSE EN CHAUVE-SOURIS

コウモリへの変態

吸血鬼は自由自在にコウモリに変態する能力を持っている。コウモリの指は長く伸びていて、指同士は腕の端から端まで広がる膜でつながっている。顔と上半身が毛で覆われていくあいだに、耳と鼻は大きくなる。

超自然史図版
絵：カミーユ・ランヴェルサッド
幻獣研究家

教育博物館「モンストラリウム」、デロール（パリ7区、バック通り46番地）

LE SERPENT
Mi-dame, mi-dragon

蛇女メリュジーヌは、
とりわけ男性にとって恐ろしい姿形をしている。
しかし、メリュジーヌは
悲しい裏切りの物語の
不幸なヒロインでもあるのだ。
裏切ったのはもちろん男である。

蛇
半分女で半分ドラゴン

セルパンティーナとも呼ばれる蛇女は、
体の大部分に骨がない。
20 世紀初頭にアメリカで展示された。

メリュジーヌは
しばしばドラゴン女としても
描かれる。
ドラゴンは大蛇が成長した
最終形だと考えられていた。

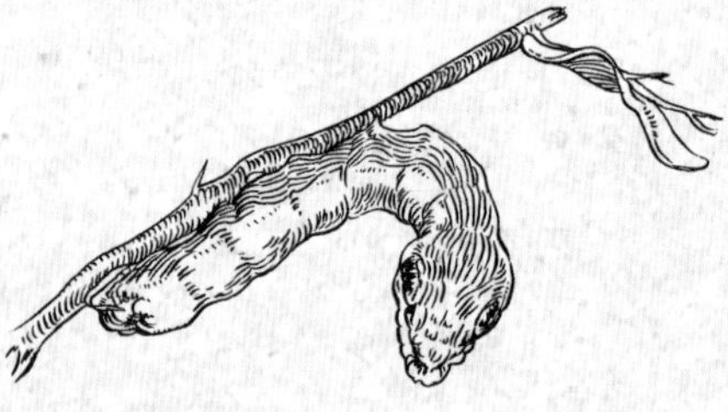

蛇に擬態したイモムシの「目」は、
実はただの眼状の斑点模様だ。
とても目立つおかげで近づいてきた鳥を
追い払うことができる。

中世の人で蛇女メリュジーヌの物語を知らない人はいなかった。1393年にジャン・ダラスが書いた版によると、フォレ伯爵の息子のレイモンダンが道端で裕福な身なりをした美女に出会い、恋に落ちた。彼女は、「土曜日に決して自分の姿を見ないこと」を誓約させたうえでレイモンダンと結婚した。2人はたくさんのかわいい子どもに恵まれ、多くの富を築き、結婚は成功したように思えた。妻のメリュジーヌは市街や城の建設を助け、幾人もの2人の子どもが城主になった。

ところがある日のこと、嫉妬に駆られたレイモンダンは、土曜日にメリュジーヌが入浴しているところを見てしまう。メリュジーヌは「へそから上は女性の姿で髪の毛をとかしていたが、へそから下はニシン樽のように太くて、とても長い蛇の尾をしていた。その尾で水をあまりに強く叩くので、水が天井にもかかっていた」。秘密が暴かれてしまったため、メリュジーヌは完全に「15本の脚がある大きく太く長い蛇」に変わってしまい、城から逃げていった。文学として整えられたダラスの版はヨーロッパじゅうで刷られて出回ったが、メリュジーヌの話は本になる前から広く知られていた。ここまで広まった理由は、おそらくこの物語に、古い呪いによって蛇になった女、破られる禁忌、裏切り、富、失われた幸福といった複数の要素が含まれていたからだろう。メリュジーヌの物語は、歴史的・宗教的・文学的に解釈され、のちには精神分析的な解釈もされた。

当初、メリュジーヌは妖精と同一視されていた。また、このような超自然的な女性は、一定の周期で変態すると考えられていた。だが、すぐに蛇女の恐ろしい性質が1人歩きするようになってしまった。別の版では、メリュジーヌが男を誘うために女に化けた悪魔やスクブスとして描かれている。中世ヨーロッパでは蛇は悪魔の使いであり、彼女の「曖昧ながら蛇らしい」姿は悪魔が化けたに過ぎないと考えられたのだ。

メリュジーヌへの嫌悪のもとにあるのは、多くの人が持っている蛇への嫌悪感だ。大半の人と、非常に多くの動物は、敏捷で狡猾で危険な蛇を恐れ、嫌う。だからこそ、蛇に化けるのはとても便利だ!　1862年に、イギリスのヘンリー・ウォルター・ベイツという博物学者が、アマゾンの森である昆虫を発見した。このイモムシは、白い線で縁どられた黒い2つの目玉に似た模様があり、それを強調するように体の前部が太い。この種類のイモムシは驚くような方法でヘビの顔に擬態し、さらに蛇が首を振るうねうねとした動きもまねする。実際に、擬態には鳥に捕食されるのを防ぐ効果がある。

人々にとって蛇女の話はとても恐ろしいと同時に、城から出ていったあとも蛇女が子どもや孫に会いに毎晩戻ってきたという切ない話でもあった。さらに、魔女に姿を変えられた被害者としてのメリュジーヌの個人的な物語でもある。物語によると、メリュジーヌの父親も森で女性と出会い、絶対に出産しているところを見ないと誓約したうえで結婚した。しかし、父親は誓約を破ってしまい、罰が子どもたちに降りかかった。19世紀になると、メリュジーヌの物語のロマンチックな性質にふたたび焦点が当てられた。1882年には詩人のジャン・ロランがメリュジーヌの最後の変態を歌にした。

> 太陽の最後の光が消えるとき、
> 　メリュジーヌは悲しく疲れていた
> 魔法の時間、変態の時間がやってくる
> バラが見たい、別れを前にメリュジーヌは思った
> 日が暮れれば、愛するものたちと
> 　永遠の別れになる
> すでに手足の先は細くなり、
> 　ヌメヌメとしてきている
> 鱗の下の腕が緑色になってきていた
> そして蛇の冷たさがメリュジーヌの魂を捕らえた

ANATOMIE DE MÉLUSINE

メリュジーヌの解剖図（哺乳・爬虫類）

メリュジーヌの蛇への変態は、まず下半身から始まる。脊柱が伸びて、足がほぼ完全に消える。
他の変化はあまり目立たないが、舌が二股に裂け、歯が尖り、毒牙ができる。
顎は伸縮自在な2つのパーツからできている。

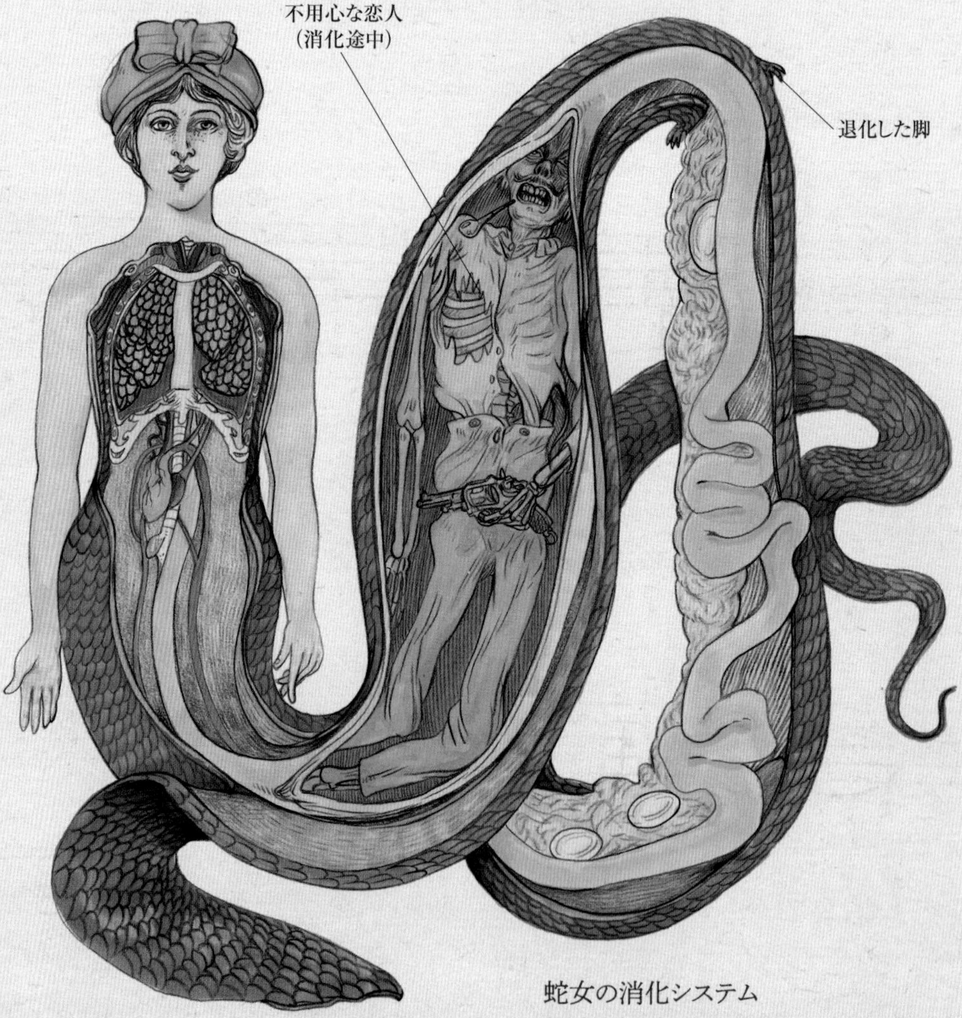

蛇女の消化システム
(Ophiaphrodite castelli)
ヨーロッパ

蛇の顎

二股に分かれた舌、毒牙、
噛みちぎることができないために
大きな獲物も飲み込めるように
2つに分かれる伸縮自在な
顎を持っている。

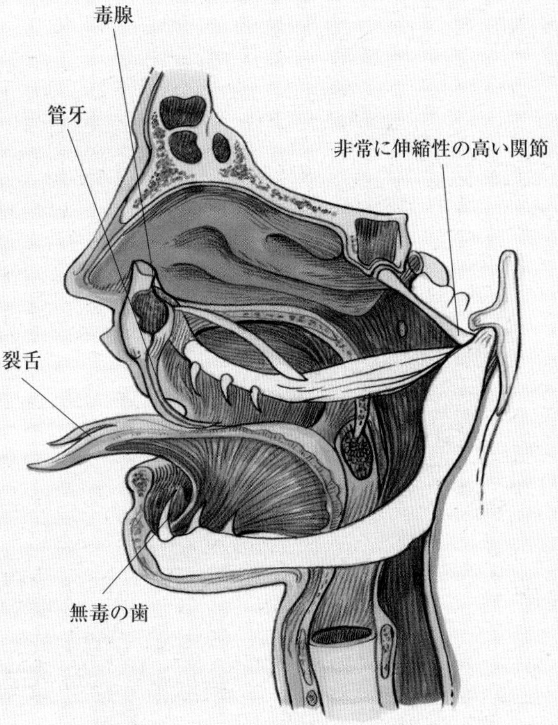

蛇女の毒を分泌する器官

（1／2縮小）

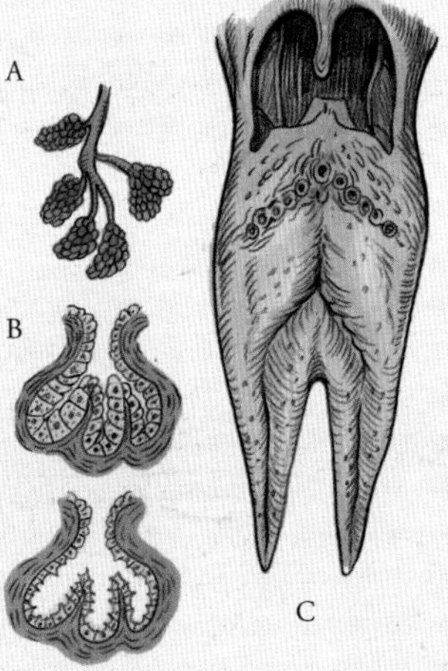

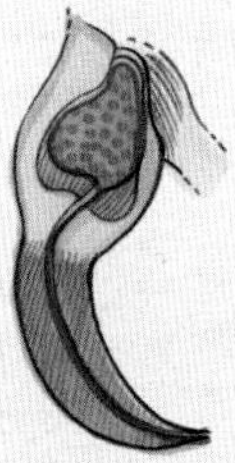

毒牙

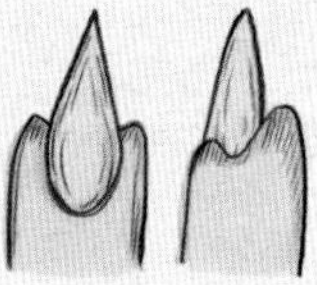

蛇女の歯

蛇の舌

AとB:毒腺
C:正面から見た裂舌

超自然史図版
絵:カミーユ・ランヴェルサッド
幻獣研究家

驚異の部屋「ミラビリエ」、デロール（パリ7区、バック通り46番地）

LE PAON
L'oiseau immortel

「蛇の頭、天使の尾、悪魔の声」を
持つ鳥、孔雀。
一方、孔雀は魂の不滅を
象徴する鳥でもある。
大事なのは見た目の美しさだ!

孔雀
不死鳥

ビュフォンによれば
「孔雀に美しい羽を開かせる真の方法は、
注目して見つめることと
孔雀に賛辞を送ること」。

孔雀のなかでも、
雄だけが目玉の模様をした
派手な尾羽を持っている。

紀元前4世紀、哲学者プラトンは、人間の魂は不滅で次から次へと肉体を移動すると考えた。プラトンによれば、魂がどのような道をたどるかは各々の行動と関係している。「毛の代わりに羽が生えた鳥の仲間には、無邪気だが軽薄で仰々しく、いい加減な話し方をする人間と、目に見えるものが物事の最も重要な要素だと思い込む愚かな人間の魂が転生する。地を歩く生き物と野生の獣には、哲学にまったく関心を持たなかった人間と、天の性質に関することになんの注意も払わなかった人間の魂が転生する（中略）さらに愚かな人の魂は地面を這い回る生き物に転生する。もはや足は必要なくなり、地を這うようになるのだ。最後に、水中で暮らす4番目の生き物に転生するのは、最も知性と学のない人間だ。彼らは魂が汚れているので、きれいな空気を吸う資格がないとみなされたのである」とプラトンは記した。彼は女嫌いだったので、「人間として生きているあいだに不正を働いただらしない人間は、次の生で十中八九女性に生まれ変わる」とも述べている。

輪廻転生という長い旅の過程では、人間から人間への「単純な」転生だけでなく、動物に転生する可能性もあった。転生とは、むしろ同じアイデンティティを持ち続けたまま魂が数世代かけて変わっていく変態の1つの形なのだ。

こうした転生思想は広く知られていた。2世紀のローマの詩人エンニウスは、夢のなかでホメロスの魂が自分の体に入ってきて、ホメロスと同等の人物になると約束してくれたという話を書き残している。ホメロスの魂いわく、エンニウスのところへやってくる前に孔雀と、同じく転生を信じるピタゴラスの体に転生したことがあるらしい。

ホメロスの魂の転生先に孔雀が選ばれたのには意味がある。当時、雌を引きつけるために尾羽を開く孔雀は、虚栄心を象徴すると考えら

18世紀ヨーロッパのどのサロンでも、孔雀の羽の「眼状斑」は若い人々の人気の的だった。

ラ・フォンテーヌ著『寓話』の「ユノーに愚痴をこぼす孔雀」に添えられたギュスターヴ・ドレの絵（1868年）。

れていた。また、ヘラと関係が深い聖なる鳥であり、ピタゴラス学派にとっては魂が不滅であることを象徴する存在でもあった。初期のキリスト教徒にとっては、孔雀は永遠の命と死者の再生の象徴だった。毎年冬が近づくと美しい羽が抜け落ちて春にふたたび生えてくる様子や、数年間体が大きいままであることからそのように考えられたのだろう。

その数百年後、転生の思想を否定する詩人のルクレティウスは、転生を信じる人々の悩みを「通常、羽に覆われたやつらが生むのは卵であって、魂ではない!」と馬鹿にした。ルクレティウスは、魂が変化しながら転生を繰り返すという説に納得できなかった。「なぜ賢者の魂が愚かになるのか?　魂が転生するのならば、なぜ大人の判断力を持っている子どもがいないのか?」本当に魂が転生しているのだとすれば過去の人生を覚えている人がいるはずだというのがルクレティウスの主張だった。転生の理論は、今日、催眠術師や「カルマ・セラピスト」やその他現代の呪術師が、だまされやすい人を相手に「前世」の記憶を蘇らせたり、前世と今世を行き来する原則として危険のない短時間の変態を約束したりさせるのと同じだ。

孔雀は、一種の変態能力を持っている。短時間ではあるが尾羽を広げた姿は、変態といっていいだろう。初めて孔雀を目にする人は、羽を開いた姿を想像できないに違いない。だが、羽を開いた孔雀は、開く前の自分の姿を覚えているのだろうか?

L'ÂNE
Une âme et des oreilles

ロバは馬鹿にされることが多い動物だが、
ある種の作家たちは
人間社会の特別な観察者として、
主人公を哲学的なロバに変態させた。

ロバ
魂と耳

雌のロバは美しい娘に変態するが、
逆のパターンはきわめてめずらしい。

ロバになってしまった機織り職人のボトムと
彼を誘惑する妖精の女王ティティアーナ
（ジョセフ・ノエル・ペイトンの版画、
1850年、シェイクスピア『真夏の夜の夢』より）

耳はロバへの変態の象徴的な要素だが、
高く突き出た鼻面と
表現力豊かな瞳も忘れてはならない。

神が罰として人間を変態させるとき、変態する動物はクモや蛇などのように嫌悪感をもよおさせる動物のなかから選ばれる。だが、変態の原因がなんらかの失敗である場合は、よりわかりやすくその失敗を象徴する動物が選ばれる。たとえば、パーンとアポロンが音楽の腕を競ったときに、パーンの味方をするという大きな過ちを犯したミダース王がこれにあたる。オウィディウスによると、アポロンは王に腹を立てて「王のあまりに鈍感な耳が人間の耳の形をしていることに我慢ならなくなった。そこで王の耳を長く伸ばして、白い毛を全面に生やさせた。そして耳を固定せず、ゆらゆらと動くままにしておいた。王の体は人間のままだが、耳だけが歩みののろいロバの耳によく似た形になったのだ」。ロバは昔から愚鈍さと頑固さを象徴する動物だと考えられていた。つい最近まで、フランスの小学校の教師は答えを間違えた生徒に「ロバの耳のかぶりもの」をつけさせて、愚鈍なロバに変態させていた。

だが、ロバには謙虚で従順な奴隷という別の顔もある。ロバは働いているあいだずっと主人に付き従い、主人のすべてを知っている。アプレイウスの『黄金の驢馬』では、この皮肉な傍観者としてのロバの姿が取り上げられている。2世紀ローマの作家だったアプレイウスは、少し年上の裕福な未亡人プデンティラを誘惑する魔法を使った罪で断罪された。訴訟の過程で、彼は告発者をさんざん馬鹿にした。「やつらが、私を不死の神々と取引をして信じられないような魔力を使い、望みをすべて叶えることができる『魔術師』だと思っているのであれば驚きだ。そんなに大きな力を持っている人間を断罪しているのに、恐れている様子がないのだから……!」

アプレイウスは魔法の力を信じていなかったが、彼が書いた物語には魔法がたびたび登場する。『黄金の驢馬』の主人公の青年ルキウスは、パンフィルという老婆が体に魔法のクリームを塗ってフクロウに変身するところを見かけた。パンフィルは「悲しげな声を上げると、地面すれすれのところで何度か羽ばたいて、一目散に飛び立った」。ルキウスは、なんとしても同じ力が欲しいと考えた。そして、パンフィルの侍女で恋人だった美しいフォティスに、魔法のクリームを手に入れて欲しいと頼んだ。だが、フォティスは間違って違う壺を取ってきてしまう。この顛末をルキウスは次のように語っている。「頭から足までクリームを塗り込んだ。すると、腕が鳥の動きをまねするかのようにばたばたと動いた。ところが綿毛も羽も全然生えてこない。一方、毛が厚くなり全身を覆っていった。ぼくのやわらかかった肌は皮のようになっていった。足と手の5本の指は1つにまとまって蹄になり、背骨の下からは長い尻尾が生えてきた。顔は伸びて、口は裂け、鼻の穴が左右に離れて、唇は垂れ下がった。耳はとてつもなく高く上に伸びた。もはやフォティスにキスもできないが、(唯一の慰めは)不思議とある部分は変わったあとのほうが得だと思えたことだった」。バラを食べれば人間の姿に戻れるとフォティスに教えてもらったので、ルキウスは戻り方を知ってはいるのだが、予期せぬ出来事に次から次へと邪魔されて人間に戻れない。冒険の途中、ルキウスは数々の事件に遭遇する。やむを得ず犯罪に手を貸したこともあった。このように、次々と滑稽な話や恋愛の話や神秘的な話が繰り広げられる『黄金の驢馬』では、主人公がロバに変態したおかげで、人間社会のあらゆる面を知ることができる。

ルキウスの変身は明らかにフィクションだが、他の作家たちは、変態は現実に起こりうると主張しつづけた。法律家兼経済学者兼悪魔学者だったジャン・ボダンは、魔法使いは悪魔と協定を結んでいるので拷問にかけて抹殺しなくてはならないと述べた。ボダンの著書『魔法使いの悪魔妄想について［*De la démonomanie des sorciers*］』によると、十字軍として遠征した若いイギリス人兵士がキプロス島の魔女にロバに変えられて働かされていた。教会でロバがしゃがみこんでしまったので、群衆はもとの姿に戻してやれと魔女に詰め寄った。すると魔女は「ロバを殺してしまった」。ボダンのように魔女を糾弾する人々いわく、人を運搬用の家畜に変えるのは魔女がよく使う手口だったらしい。魔女にとっては便利で人間にとってはつらいからだ。

魔法使いが真の変態能力を持つと読者に納得させるために、ボダンはあらゆる手段を用いた。キルケと豚や、アプレイウスの『黄金の驢馬』の例も引用している。魔法使いや呪術師をあざけった古代の冗談が、1500年後のボダンの時代には、むしろ悪魔的な力が現実に存在することを示す証拠として転用されたのだ。

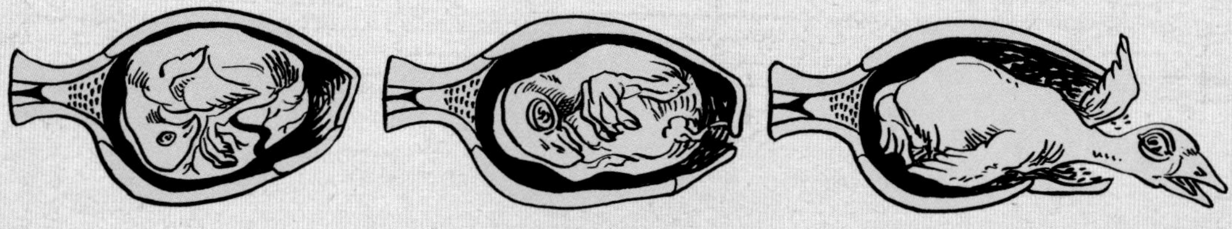

Chapitre 4

Métamorphoses Completes

第4章

完全な変態

この章では、根本的に変わってしまう変態を取り上げる。
この種の生物は、多くの場合、変態の経過をごまかす中間形を経て、
元の姿とはまったく違う生き物になる。蛹を破って出てくるのが
どんな生き物なのか……出てくるまでは誰にもわからない！

LE SPHINX TÊTE DE MORT

Fantôme de papillon

動物学の用語は中立だと考えている人は多いだろう。
だが、ときには私たちのものの見方が
学問に反映されてしまうこともある。
変態を待つ幼虫の名誉を取り戻さなくてはならない!

ヨーロッパメンガタスズメ

蛾の亡霊

ヨーロッパメンガタスズメ
(sphinx tête de mort) の幼虫は、
ときおりこの姿勢で
長時間動かなくなる。
これがスフィンクスという名前の由来。

ヨーロッパメンガタスズメに関する悪い言い伝えのなかで唯一正しいのは、蜂蜜を食べるためにミツバチの群れのなかに入っていく習性があることだ。

地中で暮らしていて、青白く、やわらかく、少なくとも私たちの想像ではネバネバしている幼虫は、嫌悪感、ときには恐怖の対象になる。

かつてヨーロッパメンガタスズメは、胸部の不気味な模様からとても不吉な生き物だと考えられていた。ルイ・フィギエによると、19世紀には「この蛾が現れた地域には疫病が流行るとされた。不吉な夜の妖精を、死を知らせる使者だと信じていたのである。メンガタスズメには死の印があったからだ」［メンガタスズメの胸部にはドクロ型の模様がある］。だが、フィギエは人々の考えを変えるのを楽しんでいたようだ。「無知な大衆を惑わす、無用で危険な迷信と偏見を消し去ることは、科学者にとって無上の喜びだ!　博物学者にとってなんと幸福なことだろうか!」と記している。今日では、ヨーロッパメンガタスズメは単なるヨーロッパに分布する最大の蛾の一種であり、茶色と金色の胸部のおかげで最も優雅な蛾の1つに数えられている。

18世紀の博物学者レオミュールは、ヨーロッパメンガタスズメを「ありきたりな蛾」と評したが、メンガタスズメのイモムシに関しては、「もしも彼らが自分の美しさを知っていたら、誇らしく思うことだろう」と記している。色は黄色と緑で、ときどき青緑色の個体もいる。黒い点々があって、湾曲した小さな尾があり、大きさは10センチメートルにもなる。しかし、18世紀の蝶と蛾の生態の研究は、ほとんどが成虫に関するものだった。当時は、成虫がその生き物の「完成形」だとされ、イモムシは不完全で一時的な状態に過ぎないと考えられていた。

動物学的には、イモムシは幼虫である。幼虫を示す「larve」という単語は、古代の演劇で使われていた悪い心を表す醜い仮面に由来する。つまり非常に軽蔑した呼び方で、成虫への変態は善へ向かうことだと考えられていた!　対する成虫は、動物学では「形」を意味する「imago」と呼ばれ、幼虫よりも本質的に進歩して完成形に近づいたものだと考えられた。一方、成長過程で変態を経ない動物の場合、若いものはおそらく「未完成」で成体ほどは「完璧」でないとされた。

私たちは、蝶や蛾への称賛とイモムシへの嫌悪という2つの感情に左右されてはいないだろうか?　科学的な文献でも、「蝶や蛾の美しさ、生命力、驚くような色の多様さ、形の優美さ（中略）軽やかさ、生き生きした様子、ふわふわと移り気な飛び方」と、「理性のない哀れなうじ虫（中略）卑しくおぞましい」イモムシが対比されている。トンボの場合は「幼虫は下劣で、水底にたまった泥と泥水に汚れている」が、成虫は「虹色を帯びたチュールの輝く羽」を持っていると記されている。しかし、流行遅れの人間中心主義から離れて考えると、再生産する能力を持っているのが成虫だけだからといって、幼虫がつまらないわけではないということに気がつくだろう。ときに、幼虫の時期はとても長い。蝉の仲間のなかには、17年間幼虫として過ごし、成虫になったあとは数週間で死ぬ種類もいる!　視点を変えて、こう考えることはできないだろうか?　交尾の相手を見つけて再生産しやすくするために、イモムシが考えた唯一の方法が蝶や蛾になることなのだと……。

かつてラングドック地方では、
ヨーロッパメンガタスズメは
オック語で魔女を意味するマスカ（masca）と呼ばれ、
魔女と同じ力を持つと信じられていた。

LA LIBELLULE
L'emboîtement des germes

トンボ

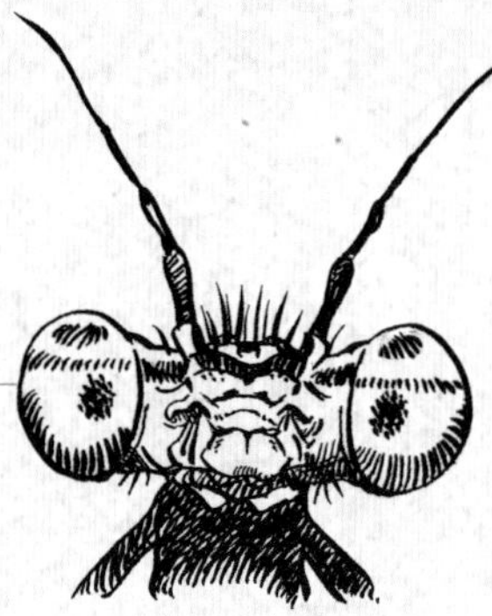

入れ子説

蝶などの鱗翅目では、成長しきったイモムシが蛹になり、しばらくすると蛹から成虫が出てくる。非常に長いあいだ、この変態は死後の再生と解釈されてきた。人々はイモムシ、蛹、蝶という3つの異なる個体が連続していくことを、復活が起こりうる証拠だと考えていたのだ。昆虫は、錬金術の分野においても金属を変成させるという変態が可能かもしれないと示してくれた。

17世紀オランダの博物学者ヤン・スワンメルダムは、昆虫学の発展に大きく貢献する見事で緻密な昆虫の解剖図を残した。彼が特に描いたのが優美なトンボだ。トンボの幼虫は水生で、成虫の顎とは似ても似つかない「仮面」と呼ばれる特異な下唇を持っている。スワンメルダムはただ観察しただけではない。自身の宗教的見解から強く影響を受けた自然観に基づいた意見も述べた。スワンメルダムは、生命が偶然誕生したという自然発生説は、神によって創られた世界の調和と相容れないと否定した。

また、スワンメルダムは、昆虫の変態は魔法ではなく成長過程で見られる現象であり、ゆっくりとした変化に過ぎないことを証明しようとした。雌がつくった卵のなかには雄が介在する前からすでに「あらかじめ形成された」幼体が入っていて、雄の精子の役割はすでにある胚の成長を促すだけだと、彼は考えた。イモムシの変態は卵のなかにもともとあるだけにいっそう、幻覚を起こさせる。スワンメルダムはこの「前成説」という考えをかなり発展させて、1つ1つの胚はもともとこれから生まれるすべての子孫の胚芽を持っていると推測した。また過去にも遡り、あらゆる生命の誕生は世界創生のときから予想されていたと主張した。神は創世の際に、世界が終わるまでに地球を満たすのに必要な生き物のすべての子孫を入れ子にしたと考えたのである。

しかし、「胚の入れ子説」は新たな問題を生んだ。かなり先に生まれる予定の子孫のきわめて小さな胚は見えないのではないか?　胚の構成物質は無限に分割できるのか?　胚の入れ子には物理的な限界があるのではないか?　より神学的な見地から考えると、神は世代継承の終わりを予見しているのか?　そうだとすれば、宗教が自然史に影響を与えているということになる。スワンメルダムは入れ子説に自信を失くしてしまった。説教師のアントワネット・ブリニョンに惹かれた彼は、神の栄光のためではなく自らの好奇心のために科学の研究に取り組むようになり、最終的には博物学の研究をあきらめる。

胚の入れ子説は政治にも影響した。スワン

MÉTAMORPHOSE DU HAI RYU
ハイリュウの変態

ハイリュウは日本の京都に生息する翼のあるドラゴン。
典型的なドラゴンの頭部をしているが、体は鳥、さらに蝶に近い。
ハイリュウは擬態の形としては非常にめずらしい提灯を模した蛹のなかで完全な変態を遂げる。

体は羽を模した鱗で覆われている

ハイリュウ
日本のドラゴン
(Draco japonicus)

提灯型の蛹
(1/20縮小)

蛹作り

ハイリュウの幼虫は腺から糸を出して提灯型の蛹を織っていく。絹糸が乾く前に顎で形を整える。

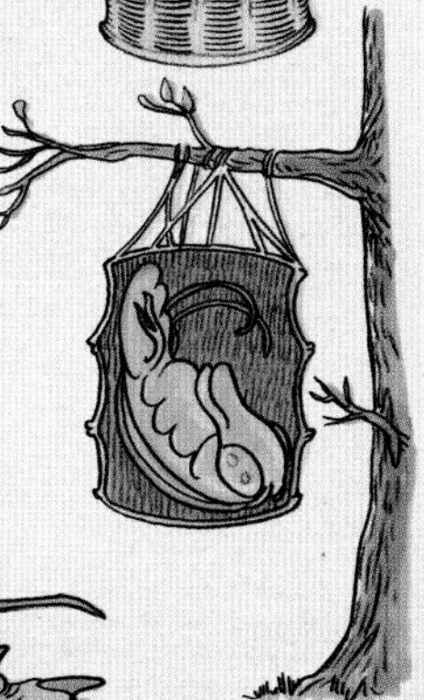

蛹の内部

変態にかかる時間は4日。提灯形の蛹に守られて変態する。

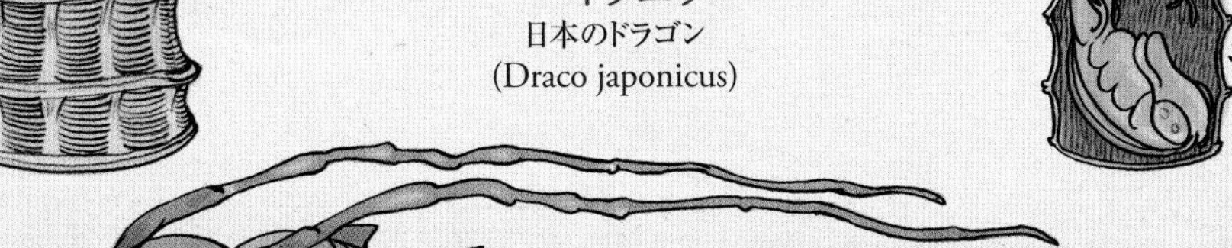

ハイリュウの幼虫

体長42～56センチメートル（42、56という数字は日本語で「死にごろ」を表す。ハイリュウが不幸をもたらす生き物だとされるのは、このせいだと考えられる）。

教育博物館「モンストラリウム」、デロール（パリ7区、バック通り46番地）

メルダムの100年後の博物学者、ベルナルダン・ド・サン=ピエールは「専制政治に迎合したフランスの小学校では、狡猾な論法から入れ子説が支持されている。入れ子説によると、すべての人間はコップが重ねられるように、父子代々最初の人間のなかに入っていたことになる」と述べた。ときに常軌を逸するほどに純理神学に基づいた数々の有名な著書を残したサン=ピエールにとって、胚の入れ子説は科学的というよりも道徳的な理由から受け入れ難かった。「人類が働く悪事のほとんどが、いわゆる誕生の影響を受けている。有益な人間に、さらには全人類にさえダメージを与える憎しみや軽蔑、黒人の奴隷制、ユダヤ人の迫害、昔ながらの封建的な農民の隷属制度、トルコでのゾロアスター教徒の抑圧、インドの不可触賤民への卑劣な行為などが生まれるのは、誕生のせいだ（中略）キリスト教と結びついた入れ子説は、決定的に人類を不幸にする。入れ子説はある種の人間に、自分たちは神に由来し神からの力を備えていると信じ込ませ、容認しがたい慢心を吹き込むからだ。そして、それ以外の人を絶望に追い込み、無慈悲な神のほうを向こうとするのを妨げる。追い込まれた人は父子孫々まで自分たちは被害者なのだと信じ込んでしまう」

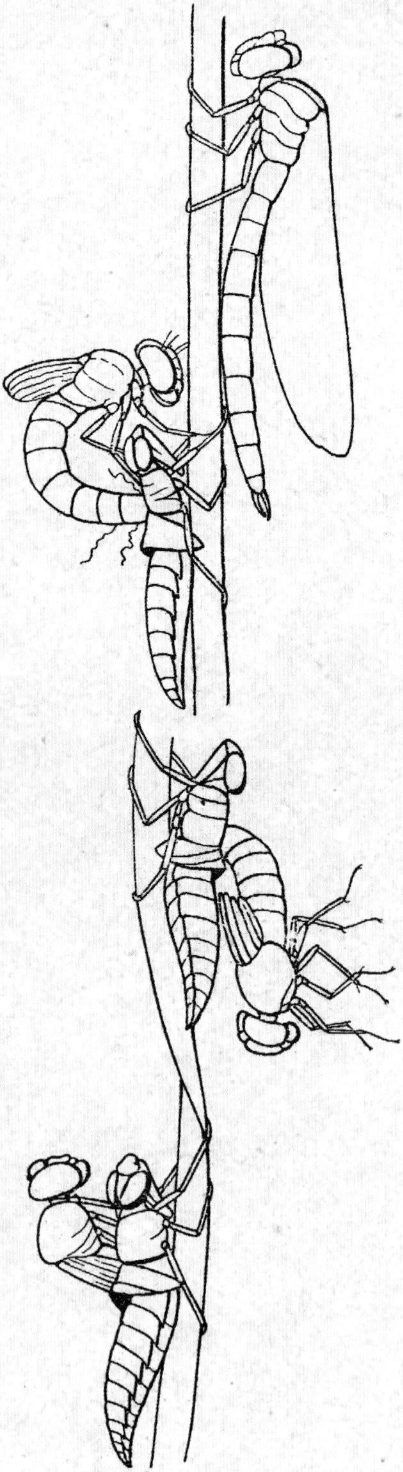

トンボの幼虫は水から出て、
茎にとまって若虫に変身する。
その数日後、
古い皮から成虫のトンボが現れる。

LA GUÊPE ET LE PUCERON
Cocons d'épouvante

自然が生むドラマの恐ろしさは、
おぞましい怪奇映画にも劣らない！

スズメバチとアブラムシ
恐ろしい蛹

寄生バチはイモムシの体内に
卵を産みつける。

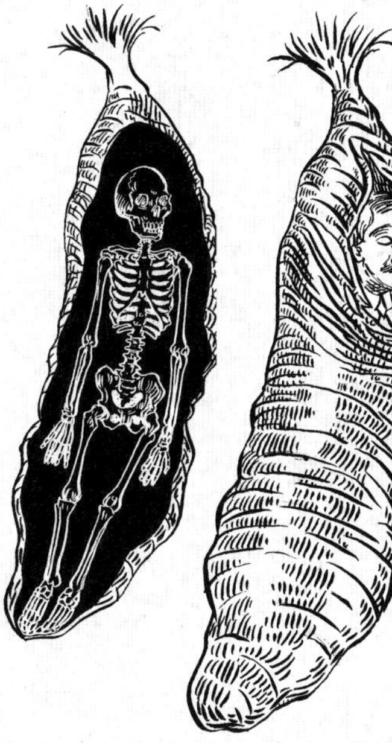

変態は、母のように守ってくれる
繭のなかで密かに起こる。
繭のなかから、
いったい何が出てくるのだろうか？

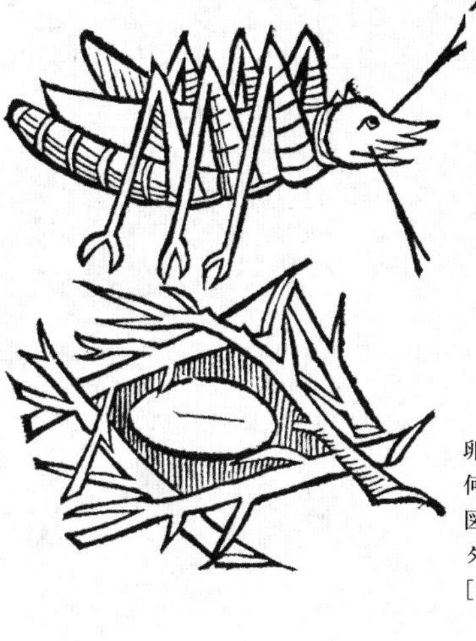

卵は特殊な形の繭。
何が出てくるのかはつねに謎だ。
図は1491年に描かれた
タコとタコの卵（『健康の庭』）。
［かつて卵は繭と同一視されていた］

昆虫の変態には休眠時間が必要だ。休眠しているあいだに昆虫は姿を変える。変態は、蝶の仲間では蛹と呼ばれる繭に守られて、他の昆虫では若虫の状態で起こる。繭の内部では、幼虫が組織を再編成して、まったく違う姿だが遺伝学上は同種の生き物をつくっている。しかし、ある種の繭はさらに神秘的だ。予測とは違う生き物が出てくる場合があるのである。

ヒメバチの仲間は、アブラムシに卵を産みつける。アブラムシの体内で卵から孵った蜂の幼虫は、生きたまま「ミイラ化」している寄生主をなかから食いつぶしていく。蜂は卵を産みつけると同時に、卵が破壊されないようにアブラムシの免疫機能を妨害するウイルスを注入する。卵を産みつけられたアブラムシは生きつづけるが、球形に近い形になり、色は茶色くなる。アブラムシがじゅうぶんにエサを食べて大きく育つと、幼虫は変態して成虫になり、蛹から出るようにアブラムシの死骸を破って外へ出てくる。このような寄生蜂は、単なる寄生虫とも真の捕食者とも呼びにくい。ヒメバチの仲間はクモ、アブラムシ、イモムシ、その他の昆虫をも攻撃するため、昆虫の数を規制するのに非常に重要な役割を果たす。また、収穫した作物を食い荒らす害虫を駆除する生物としても広く用いられている。

ダーウィンは、イモムシが生きたまま食われることに憤慨した。「私には、ヒメバチが他の生き物と同等だとは思えない。私は、人間を取り巻くものの設計図と寛大さの証拠を見たいのだ。だが、世界には苦しみが多すぎる。慈悲深く全能な神が、生きたイモムシの体内を食い破るようなヒメバチをはっきりとした意図を持って創ったとは思えないのだ。ネズミを弄ぶ猫もそうである」。19世紀になると、昆虫学者のジャン=アンリ・ファーブルが、正確さでは劣るものの、別の角度からヒメバチの生態を明らかにした。イモムシを幼虫にふさわしいエサにするために、ヒメバチがイモムシに麻酔を打つ光景を前に、ファーブルは「世界を動かす筆舌に尽くしがたいロジック」を感じ、「言い表せない感動の涙」が目からあふれるのを止められなかったという。

繭は怪奇やSFの領域でしばしばテーマに使われる。たとえば、映画『ボディ・スナッチャー』シリーズでは（フランス語のタイトルは「墓の冒瀆者」で原題の「ボディ・スナッチャー（体を盗むもの）」とは違う訳され方をしている）生きている人間に似たもう1人の人間が地球外生命体の繭のなかでつくられる。シリーズの他の作品では、人間が地球外生命体によって繭に取り込まれ、どこかを「違う形に」変えられてしまう。どこを変えられたのか外から見てもわからないだけに恐ろしい。また、リドリー・スコットの有名な映画『エイリアン』では、巨大なクモとサソリのハイブリッドであるモンスターの幼虫が卵から現れる。とても気味の悪い見た目だが、まぎれもなく生物だ。エイリアンは宇宙飛行士の胃のなかに卵を産みつけた。これは寄生生物の行動だ。そして2、3日経つと卵から幼体が出てくる。つまり、ヒメバチの幼虫がイモムシを食事と変態をする場所として使ったように、人間を利用しているのだ。『エイリアン』は自然の恐ろしさを再確認させる映画だといえるだろう!

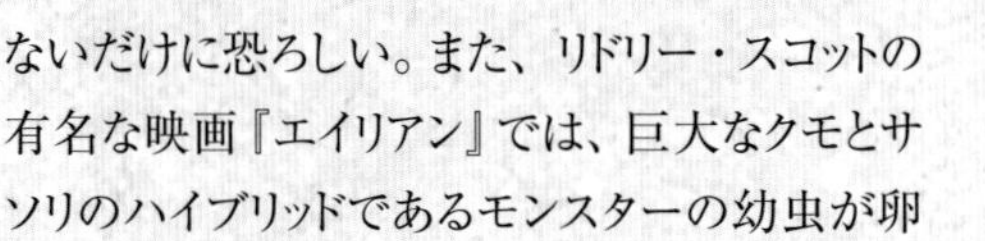

ヒメバチの幼虫に
食いつぶされたイモムシ。

LE SPERMATOZOÏDE

La métamorphose de l'animalcule

かつて妊婦の腹のなかは、
蛹と同じくらい謎に包まれた繭だった。
胎児の変態は
どうとらえるべきだろうか？

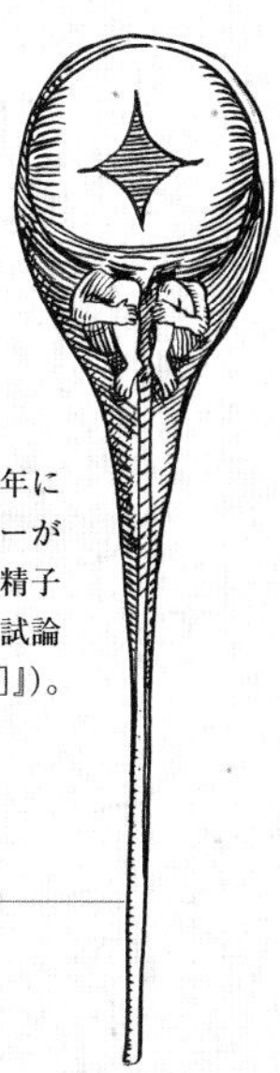

1694年に
ニコラス・ハルトゼーカーが
描いた精子
（『屈折光学の試論
［Essay de dioptrique］』）。

精子

目に見えない生き物の変態

「妊婦が急にお腹が空いたときは手を後ろで組むといいと言われるのはなぜか?」というのは、大衆向けの便利なアドバイスを集めた書籍に掲載された問いだ。タイトルは『医学と健康的な指針に関する巷の誤解と俗説』といい、モンペリエ大学の学長だった名医ローラン・ジュベールが1586年に出版した。この問いは、妊娠中の女性が「欲望」を感じると、生まれてくる子どもに「ワインの染み」のような血管腫ができるという有名な迷信に依拠している。「妊娠中に母親の欲望と食欲が満たされなかったために子どもの体にできた印については、数えきれないほどの昔話がある。鼻や他の場所に、さくらんぼ、イチゴ、鳥のくちばし、ウサギの頭、魚のヒラの頭、ヤツメウナギの頭の形のようなあざができるというのだ（中略）妊婦がすぐに欲望を満たせない場合、尻に手を当てるといいという言い伝えについて考えてみよう。迷信によると、妊婦が興奮して空想に浸っているあいだに、顔、鼻、目、口、首、喉、その他の体のどこかを触ると、母親が貪欲だった印が子どもに現れるという（中略）あざができた場所が尻や服で隠れる部分だといいのだが……」。ジュベールは、妊娠中の女性の気分や行動が子どもの先天的奇形の主たる原因であることは認めていたが、欲望にかかわる迷信は「夫の留守中に雪を食べて息子を妊娠したという婦人の話と同じくらい根拠がない」と述べた。

その後、医師の大半が否定しつづけたにもかかわらず、迷信は根深く残った。哲学者兼神学者のニコラ・マルブランシュは、1674年に出版した著書『想像力について』で、言い伝えの正しさを力説している。「母親が病気でもないのに赤ん坊が体内で死ぬのは、すべて母親の恐怖、激しい欲望、荒々しい熱情のせいだ（中略）母親が空想に耽ったり、梨を食べたいと強く望んだりすると、子どもも同じように激しく想像し、欲しがるようになる（中略）哀れな赤ん坊は、母親が欲しがったものになってしまうのだ」。マルブランシュは、母と子の頭が結びついていることには利点もあると述べた。「母子の結びつきがなかったら、女性と動物は自分と同種の子どもを生み出すのが難しくなるだろう」

1冊丸々こうした偏見を扱った本もあるほどだった。1737年に出版された『妊婦の想像力が胎児の体に与える影響に関する総論』で、著者のイギリス人医師ジェイムズ・ブロンデルは、相変わらず信じられていた迷信について詳しく記している。「もしも母親がムール貝を食べたいと思ったのに食べられなければ、その不満は胎児の頭を魚や貝にしてしまう。妊娠中に奇形障害者の恐ろしい見せ物を見ると、腹のなかの胎児の手や足もなくなってしまう（中略）私は妊婦の想像力が胎児に影響するという人の意見を聞いたことがあるのだ」。ブロンデルは、迷信は非常識で馬鹿げていると述べ、「子どもは大多数が定型児で、奇形児は稀でなくてはならない」と記した。

子どもの形が女性によって決まるにせよ、決まらないにせよ、胚の起源という重要な問題は当時未解決だった。人間は太古の昔から（記録は残っていないが、おそらく先史時代から）子どもはどうやってできるのか、母親の腹のなかでどのように育つのかを解明しようとしてきた。何世紀ものあいだ、博物学者は古代の学者を引用するだけだったが、そのうちに新しい観察道具によって得られた所見をもとに別の議論を発展させた。複数の学説が、男性と女性のどちらが子孫により貢献しているのかといった発生に関する問題のすべての局面で対立するようになった。

ヒポクラテスによれば、胚は父親と母親に由来する2つの「種子」が混じり合ってできる。アリストテレスは、男性が胚に動きと「イデア」を与え、女性は胚が育つのに必要な物質を供給するだけだと考えた。しかし、子どもが両親のどちらかに似たり、両方に似たり、あるいはどちらにも似なかったりする理由は解明できなかった。

17世紀、ヒポクラテスの説を支持する博物学者は「後成説論者」と呼ばれた。だが、目に見える構造をまったく持たない無形の2つの種

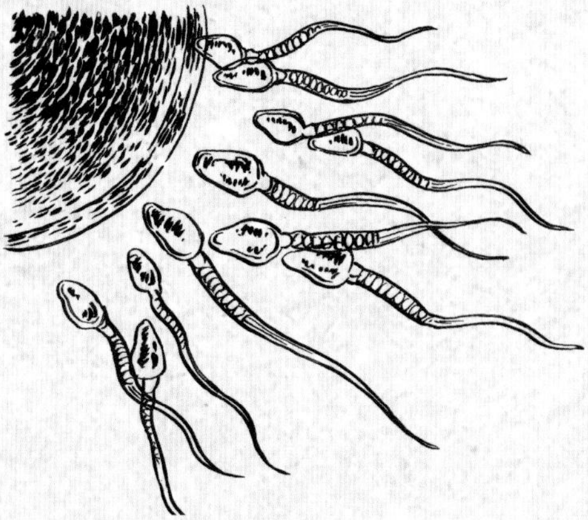

精子を細部まで観察するには、
優れた顕微鏡を準備しなくてはならない！

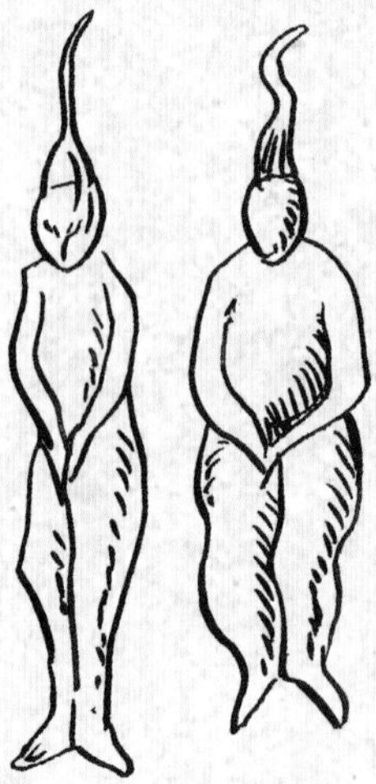

1678年にフランソワ・
ド・プランタードによって
描かれた精子の
「ホモンクルス」。
［精虫説では、精子のなかに
小さな人間、
ホムンクルスがいると
信じられていた］

子から、自らを組織したり、胚のすべての器官をつくり上げたりすることはできないというのを理由に後成説は否定されていた。後成説論者のいちばんの敵は、妊娠前から胚が存在していると主張する「前成説論者」だ。前成説論者のなかにも相反する2つの派があった。その1つが、胚はもともと（未来の卵がすべて入れ子になっている）卵のなかにあると信じる「卵子論者」だ。卵子論者が特に論拠としていたのは、シャルル・ボネの研究である。1745年、博物学者のボネは、雄の個体と接触せずに育った若い雌のアブラムシが雌を産み、さらにその雌も雄抜きで次の世代を産むのを発見した。実は、アブラムシは受精なしで再生産できる単為生殖の特異な例だった。動物の世界では非常にめずらしい!

卵子論者は後成説論者だけでなく、前世説のもう1つの派である「精虫論者」とも対立していた。精虫論の論拠は、精子を沼の水に見られる小さな生き物に似た微小生物《アニマルキュル》だとした初めての精子の説明図だ。この図は1677年に顕微鏡で人間の精液を観察したアントニ・ファン・レーウェンフックによって描かれた。レーウェンフックは「精液内の線虫」の頭部はすでにできあがった胚で、母体は胚が定着して成長する場所に過ぎないと結論を出した。

しかし、もしも精虫説の通りだとすれば、いったいなぜ神は小さな「人間」などという無駄な存在を許したのだろうか?　医師のシャルル・ヴァンデルモンドは、1756年に出版した『人類を改良する方法に関する考察』のなかで、精虫説を捨てた。「ある種の昆虫の例を見てみよう。昆虫が線虫でいるのをやめたときのように、線虫は生命の初期の胚だと考えられてきた。死後の生物を分解するのも線虫だ。精虫説では私たちもミミズだということになり、人間はミミズがみじめに変態した存在と化してしまう」。ヴァンデルモンドはビュフォンを仰ぎ、「すばらしい観察者であるビュフォンは、男性を発生の唯一の語り手とするのではなく、女性だけに発生の栄誉を割り当てるのでもなく、愛の喜びを分かち合うために男と女がつくられたと考えた。ビュフォンいわく、子孫へ寄与する割合は男も女も同等なのだ」と記した。

L'ANATIFE

L'arbre à canards

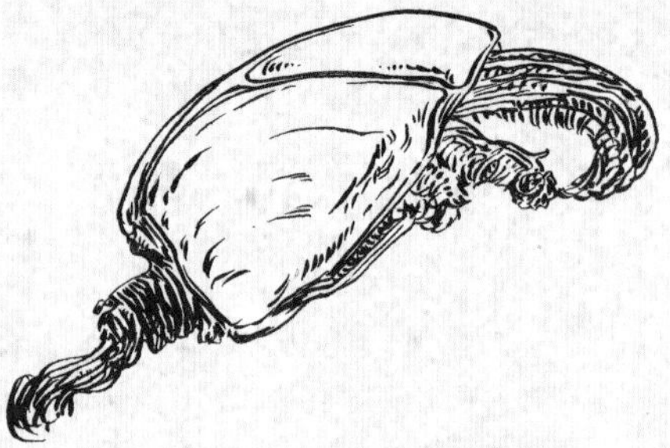

エボシガイ

鴨を産む木

ときどき、海に浮いている流木に角形の茎がある貝類のような不思議な生き物が生えていることがある。これはエボシガイという、魚屋で見かけるカメノテの仲間だ。中世、エボシガイからは鴨が生まれると信じられていた。クロガモやシジュウカラガンといった海に住む鴨の仲間は、秋にグリーンランドからやってきて暖かい地方で越冬し、卵を産む前に北へ帰っていくため、誰も生まれる瞬間を見たことがなかったのだ。言い伝えによれば、エボシガイは木に生えて育ち、折れた枝が波に運ばれて北海沿岸に打ち上げられるとされていた。

ときどき、エボシガイは
シジュウカラガン（oie bernache）から
名を取って「bernacle」とも呼ばれる。
英語でもエボシガイは「goose barnacle」、
シジュウカラガンは「barnacle goose」と呼ばれる。

驚くことに、裁判官のクロード・デュレも『自然界に存在する不思議で奇跡的な樹木と草に関するすばらしい物語』で、「この鳥は雛も産まず、卵も産まず、卵も抱かず、父も母もいない。海中で朽ちた古い木材や、腐った船板やマストやオールから生まれる」と記した。

シジュウカラガンは非常に特異な生まれ方をするとされたため、敬虔なキリスト教徒ならば哺乳類や鳥類の肉を断つ四旬節の断食のあいだでも食べていいと考えられた。「魚」のように生まれるのだから許されるというのだ。12世紀末にはすでに、その特異な生まれ方が認められ、四旬節にシジュウカラガンを食べる習慣があったとウェールズのジェラルド司教が書き残している。このように規則を捻じ曲げていたことも、エボシガイからガンが生まれるという信仰が17世紀まで残った一因だろう!

1671年、スコットランドの軍人で博物学者のロバート・モレー卿が、スコットランド西岸でエボシガイを見つけた。彼はエボシガイを観察し、

MÉTAMORPHOSE DE L'ANATIFE

エボシガイの変態

エボシガイの木、別名鴨を産む木は北大西洋沿岸に自生する灌木。
この木になるエボシガイの実からはシジュウカラガンが生まれる。
貝から生まれるのだが、生まれた鴨には雄も雌もいる。

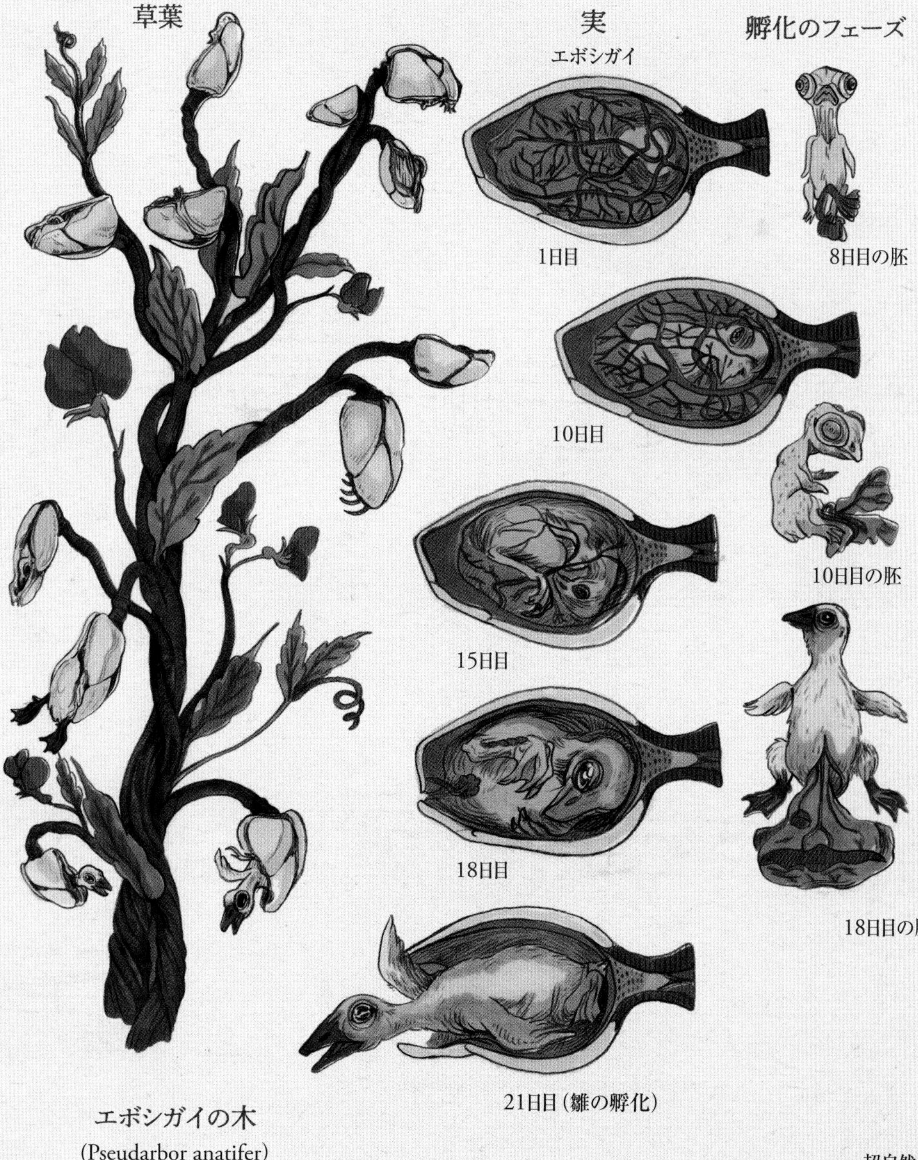

エボシガイの木
(Pseudarbor anatifer)
ヨーロッパ

超自然史図版
絵：カミーユ・ランヴェルサッド
幻獣研究家

教育博物館「モンストラリウム」、デロール（パリ7区、バック通り46番地）

観察から得られた知見をイギリスの科学アカデミーである王立学会の友人に語っている。「小さい貝から大きい貝まで私が開いた貝のなかにはすべて、奇妙で完璧な形の鳥が入っていた。内部に関しては完璧な海鳥だった（中略）小さなくちばしは鴨のそれに似ていた。目が特徴的で、頭と首と胸と翼と尾と足は完全にできあがっていて、生えた羽は黒みを帯びていた。私の覚えている限りでは、足は他の水鳥の足と似ていた（中略）いままでこんなに小さな生きている鳥は見たことがない。だが、信頼に値する人は拳と同じくらい大きな鳥も見たことがあるそうだ」

見た目に反して、エボシガイは軟体動物ではなく甲殻類だ。エサとなるプランクトンを捕まえるために、水中で小さな脚を動かす。生き物は多かれ少なかれ成体になるまでに変態を経るものだが、エボシガイの変態は想像とはかなり違う。エボシガイはキュヴィエとラマルクによって誤った分類がされていたが、その後イギリスのジョン・ヴォーン・トンプソンという博物学者がエボシガイの仲間の甲殻類を代表する幼生の変化の観察を行った。チャールズ・ダーウィンもカニやエビと近い蔓脚類の仲間に関する本を何冊も出版している。

今日では、エボシガイの成体は水中で卵を産み、卵から生まれた幼生はプランクトンとして暮らすことが知られている。エボシガイの幼生は成体とはまったく姿が異なり、大エビなどの他の甲殻類の幼生に似ている。生態は明らかにされたものの、エボシガイは学名に歴史の片鱗を残している。学名「*Lepas anatifera*」は「鴨の入った貝」という意味なのだ。

LE CRABE VERT
Au-delà des mues

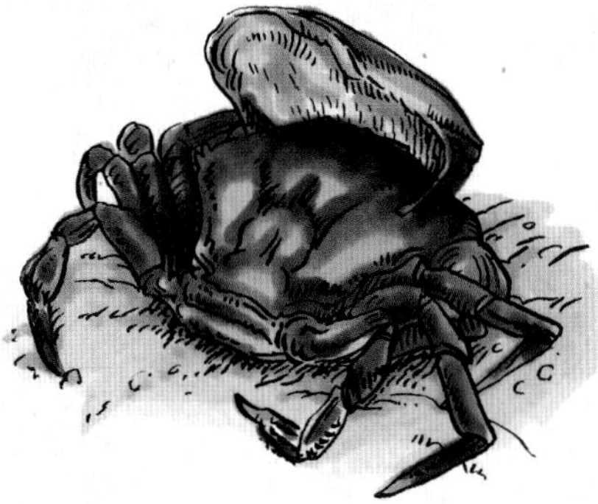

脱皮によって、動物は
古い皮を脱ぎ去って
新しい皮を手に入れる。
だが、脱皮は
同時に形を変えることでもある。
つまり、脱皮とは変態なのだ！

ミドリガニ

脱皮を超えて

蟹のゾエア幼生はプランクトンとして
水中を漂って生活する。
殻に生えた棘は、敵に攻撃を思いとどまらせるための
武器であり、深海に流されないためのブレーキでもある。

「ライコイ」は危険な遺伝子操作から
生まれたのではなく、
飼育の過程で現れためずらしい猫を
昔ながらの方法で選別した結果生まれた新種！

ケンミジンコは淡水に生息する小さな甲殻類。
複数のノープリウス幼生期を経て成長する。

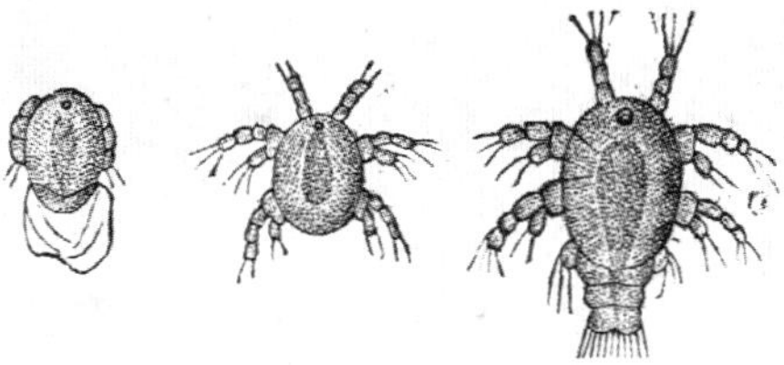

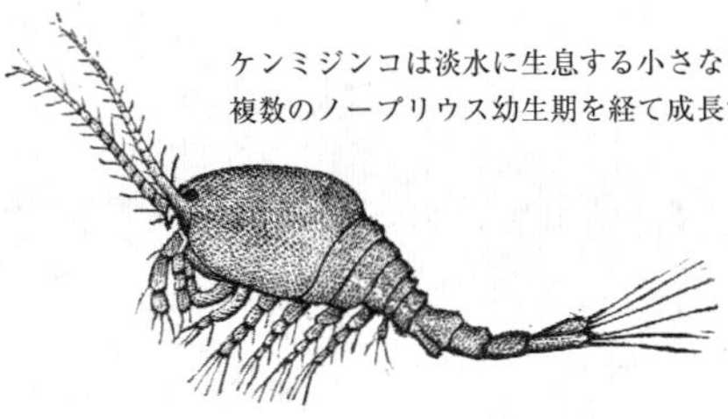

海辺の潮溜まりに手網を入れてすくってみると、指で押すと殻がくぼむほど「やわらかい」蟹が取れることがある。ネバネバしていて少し気持ちが悪いので捨ててしまう人が多いようだが、これは脱皮したての蟹だ。数時間前に古い殻を脱ぎ捨て、まだカルシウム塩の影響を受けていないやわらかいクチクラを利用して出てきたばかりなのだ。18世紀、「やわらかい蟹」は意気地なしの蟹とも呼ばれていた。「やわらかい蟹は殻を脱ぐと砂の上でじっと動かなくなり、疲れ果て、死んでいるかのように見える。新しい殻がやわらかく未熟なうちは、臆病であまり姿を見せないのだ。しかし、殻が硬さを取り戻すと、ふたたび大胆になって、攻撃してきたイカやポリプにも勇敢に立ち向かう」。蟹の勇気はおもに、クチクラが硬さを取り戻すことにかかっているのだ!　殻が硬くなる前に、蟹は水を吸い込んで急激に大きくなる。その後しばらく体の大きさが変わらないのが蟹の成長の特徴だ。通常であれば、成長のために外側の殻を脱ぎ捨てるだけなのだが、ときどき傷ついた脚を再生させるために脱皮する場合もある。古い殻は原型をとどめたまま捨てられるので死んだ蟹と間違われることが多いが、脱皮後の殻は死んだ蟹よりも軽く、よく見ると後ろに「新しい」蟹が出てきた裂け目がある。

海洋生物の仲間の脱皮は、真の変態をともなう場合が多い。たとえば、生まれたてのミドリガニはプランクトンとして生活する。水中を漂うミドリガニの幼生は、それぞれはっきりと区別される特徴のある4段階の「ゾエア」期を経て、「メガロパ」になる。ゾエア幼生は長く尖った額角（メカジキの吻《ふん》に似ているが、もっと小さく1ミリメートルしかない）と背中に生えた別の棘で区別される。ゾエア幼生4期は、脱皮によって姿を変えてメガロパ幼生になる。メガロパ幼生は腹部が細く縦にひょろりと長い蟹、あるいは前部が過度にふくらんだエビに見える。また、サイズはかなり小さいのでさほど心配しなくてもいいが、映画に出てくる幼生期のエイリアンを彷彿とさせる。宇宙飛行士の顔に張りついたときの姿だ。蟹の仲間の成長は少々派手さに欠ける。メガロパ幼生は成長すると海底に沈み、新たに脱皮して成体のミニチュア版に姿を変える。

脱皮するのは昆虫や甲殻類だけではない。蛇も古い皮の下で新しい皮が育ってから、ゆっくりと皮を脱ぎ捨てる。蛇の場合は脱皮しても形や色は変わらない。哺乳類の場合、皮膚は絶えず生まれ変わっているが、プロセスは脱皮とほとんど変わらない。ただし、いくつかの哺乳類は、秋と春に短期間で毛並みが変わる。たとえばユキウサギは白い単色の毛並みから茶色の斑のある毛並みに変わる。毛の長さも変わるためにシルエットが変わり、まるで変態のようだ。また、鳥類の大半は、幼鳥と成鳥で羽がずいぶん異なる。ハンス・クリスチャン・アンデルセンの童話『みにくいアヒルの子』の「アヒルの子は、もう灰色と黒の汚らしく醜く不格好な鳥ではありませんでした。アヒルの子は白鳥だったのです!」が説得力のある例だ。

2010年代初頭、国際猫連盟が新種の猫を認可した。飼育の過程で偶然現れた突然変異から生まれた「ライコイ」という種で、部分的、とりわけ目の周りに毛が生えておらず、定期的に毛が抜け落ちる。本当に変態するわけではないが、ライコイという名前はリカントロピーから取られた。古代から分子生物学のラボがある現代まで、人間は多くの架空の生き物を想像してきた。突然変異であり、同時に狼人間に由来する名を持つライコイは、そうした生き物の魔法とのつながりを感じさせる!

L'ANGE
Le surhumain

死後も続く生の不思議、
死後の生態学の誕生、
著しく不当なカトリックの教義を
信心深く拒否する……。
動物学者はいったい何から
最も驚くべき変態の形を
考えついたのだろうか?

天使
超人

オウィディウスの『変身物語』は、人間と自然の明確な連続性を物語っている。オウィディウスが描く男性や女性はあっという間に、ほとんど「自然」に、神々の意図と対立せずに姿を変える。変身させられた人々のなかには、もともと持っていた性質を発達させられた人もいる。たとえば、アラクネーは永遠に機を織る定めを受けたが、これは死ぬまで自らの技を使えるということでもある。リカオンが変身した狼は、彼の獰猛で残忍な性格を象徴している。リカオンの姿は変わったが、性質は変わっていない。もとの姿に戻れない人がほとんどだが、なかにはキルケに豚に変えられた船員や白い牛になったイオのように動物から人間に戻る例もある。

しかし、オウィディウスは動物と人間は根本的に違うと考えていた。動物には言葉がないからだ。オウィディウスの描いた動物はすべて人間の精神を保っているが、もはや自分の身に何が起こったかを語ることができない（蹄で砂に自分の名前を書いたイオは例外）。後世のキリスト教の哲学者は、人間と獣を隔てる高い壁を築きつづけることが自分たちの使命だと考えた。19世紀以降、進化論者が人類史と動物史を結びつけようとしたときに、この壁は最も大きな障害になった。

同時に、進化論が生まれる前から博物学者は生態学を発明していた。人間と自然のあいだの複雑で「対等」で「調和した」関係は、花々の美しさや動物の驚くような行動と同じく、自然神学の分野に驚嘆をもたらした。生きとし生けるものが織りなす壮大なドラマのなかでは、それぞれの種が神の思し召しに従って、しかるべき場所に置かれている。少なくとも、神が創ったという仮説に頼らずに博物学者が自然を説明できるようになる19世紀までは、生き

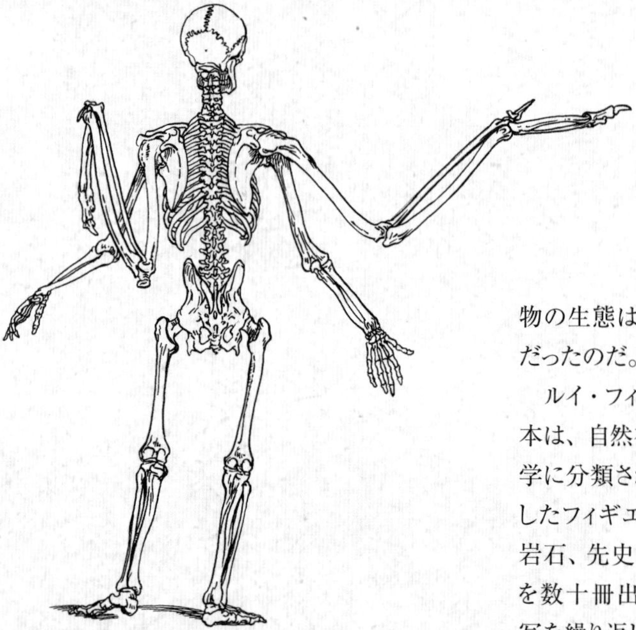

動物学者にとって、
古典的な天使の羽は２対めの腕に相当する。
つまり、天使には手足が６本あるので、
（ある種のドラゴンと同様）
動物学が分類した進化史には属していない。

カトリックの教えによれば、
天使は人間を見守っているが
もともと人間だったわけではない！
天使は「世界を完璧に導くために不可欠な」
天の人なのだ。

物の生態は神の全知全能さと博愛を示すものだったのだ。

ルイ・フィギエの著書のなかでも最も奇妙な本は、自然神学、生物学と境界を接する生態学に分類される。科学を一般に普及させようとしたフィギエは、19世紀後半に動物、植物、岩石、先史時代、物理学、化学に関する書籍を数十冊出版した。フィギエの本は重版と筆写を繰り返し、現在でも高校生が学期末に選ぶ優れた本にしばしば選出される。頑なな反進化論者ではあったが、フィギエはフランス社会に科学的な思考を広めるのに大いに貢献した。

1871年、フィギエは『科学が唱える死後と未来の生［*Le lendemain de la mort ou la vie future selon la science*］』という大作を出版し、科学的に魂の不死性を論証しようとした！　フィギエいわく、身体と精神（魂）ははっきり異なる2つの存在だ。世代を経ようと物質は消えずに状態を変えるだけなのだから、魂についても同様だと考えたのだ。「物質と同じく魂は姿を変えるが、決して壊れはしない」。彼は魂が「不死であること」は「あらゆる観点から明らか」だとして、古代から記されてきたすべての「魂の概論」を一掃した。

真の問題は、死後に魂がどうなるかだ。「それは瑣末な問題だ。よく考えてみれば、魂が不滅であろうとなかろうと——実際には破壊不可能で不滅なのだが――別の人間の体に宿る。ただ単に私たちに戻ってくるのだとしても、過去の記憶はすべて失くしてしまっているだろう。過去の記憶のない魂の再生は、本当の意味での消滅、唯物論の消滅なのだ」

ルイ・フィギエは、人間の魂が「別の生」で維持されることを証明しようとした。フィギエによれば、死後の魂は人間を超越した人間、通常私たちが天使と呼ぶ存在になるという。「大気が人間を取り巻く環境であり生息地であるとすれば、超人を取り巻く環境と生息地は軽やかな心霊波だ。変態して両者が住む2つの異なる環境を絶えず行き来するのは、さほど驚くべきことでも、異常なことでも、人々が信じる自然の法則に反することでもない」。これは「池の泥水に暮らしていた醜くドス黒い幼虫が、優雅さと活力をもって空気を吸う美しいトンボに姿を変える」のと同じ、ただの変態なのだ。「こうした観点からみれば、人間は超人の幼虫でありイモムシだといえるだろう」

天使は、生まれたときから新しい人間だ。あるいはもとになった人間は徳の高い人かもしれない。もともとの徳が高かった場合、もう一度変態を経れば大天使になる。ルイ・フィギエは神学・生態学的な見地から奇跡的なサイクルを説明したのである。神の御許に近づく天使への変態のあと、魂は物質そのものになり慈悲深い光となって地上に戻る。降り注いだ光は魂の種として植物に宿り、少しずつ成熟して、植物から下等な生物へ、さらに鳥類、哺乳類を経て、人間に宿るようになる。

敬虔なカトリック教徒であるフィギエは、輪廻転生という説が地獄と天国に関するキリスト教の教義にぴったり合致すると考えた。彼自身は、地獄はとても不当で神の慈悲深さと矛盾すると思っていたようだ。「二度目の地上での生に戻ってくることは、実際は、永遠に続く苦しみよりも安楽で、適切で、正当な罰だ。苦しみは罪に釣り合っている。神による罰のように、公正で寛大だ」。ローマ・カトリック教会の禁書目録に加えられたフィギエの著書は、没後10年の1904年までに10度再版された。フィギエ自身も変態したといえるだろう。

Chapitre5

Métamorphoses Lentes

第5章

緩慢な変態

変態がゆっくりと数世代にかけて起こる場合、
もはや個人レベルの変化ではなくなる。
だが集団の歴史からみれば、変態は種の進化なのである。

LE POISSON VOLANT
L'océan primordial de Telliamed

空飛ぶ魚

テリアメッドの古代の海

1748年、「インド人哲学者」が書いた『テリアメッドあるいは海の後退、陸地の創成、人間の起源等に関するインド人哲学者とフランス人宣教師の対話集』という本が出版された。この本はユーモアを込めて、「ベルジュラックが秘めていたすべての無分別さに捧ぐ（中略）私の夢を支え、実現する助けとなってくれた彼へ」という、シラノ・ド・ベルジュラックに向けた著者の献辞から始まる。実は、フランスの駐エジプト領事でアマチュア博物学者のブノワ・ド・マイエによって書かれた本であり、彼の死後に出版された。著者のテリアメッド（Telliamed）はド・マイエ（de Maillet）のアナグラムだ。マイエは、自分の思想がローマ・カトリック教会の怒りを買うのを恐れ、死後に出版してほしいと頼んでおいたのだ。

彼が考えた地球の歴史は、実は聖書に書かれた物語と矛盾している。テリアメッドによれば、かつて地球はすべて海で、生物といえば海洋生物しかいなかった。その後、一部の水が引いて、海洋生物から陸上で暮らす生き物が生まれた。象は海で暮らしていた象の子孫、犬は海で暮らしていた犬の子孫、人間は海で暮らしていた人間の子孫であり、しかも祖先たちはまだ海にいるというのがテリアメッドの主張だった。つまりアダムやイヴはおらず、聖書では地球はわずか6000年前にできたとされているが、実は数百万年が経っていると述べたのだ。当然、本は禁書になった。

海生人間がいまも生きているという説や、彼のいう「生態系」になんの根拠もない点など、でたらめな見解も含まれているが、テリアメッドが進化論の先駆者だったのは間違いない。事実、種の起点になった最初の1匹は形が定まっておらず、変化する余地を持っていた。テリアメッドは空飛ぶ魚の例を挙げている。「狩りの

空飛ぶ魚のトビウオは、
「翼」を羽ばたかせず
滑翔するだけで飛ぶことができる。

MÉTA MORPHOSES FOSSILES DES POISSONS-VOLANTS

空飛ぶ魚の化石が示す変態

化石のおかげで、魚から鳥への変化の過程が見て取れる。
地質学上のさまざまな年代から得られた魚の化石を観察すると、鰭から翼への変化が見てとれる。

白亜紀における変態の復元図

脚のある魚
(Ambulomorhua aquitania)
三畳紀

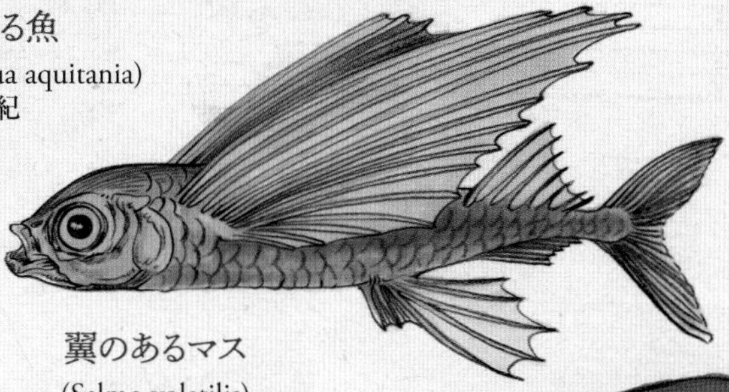

翼のあるマス
(Salmo volatilis)
始新世

魚鳥
理論上、魚と鳥の中間形

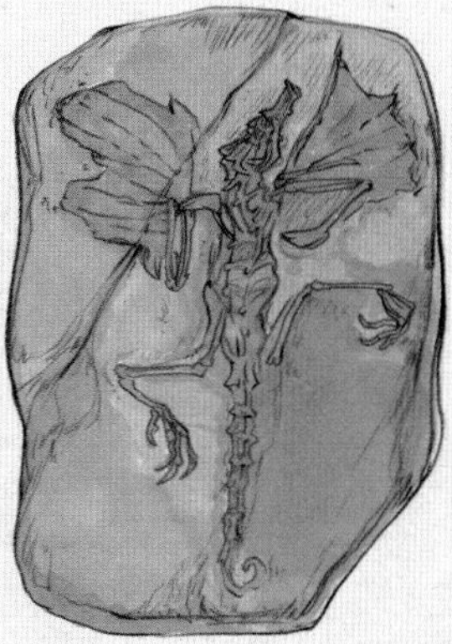

飛ぶヒッポカムポス
(Hippovolatus enigmaticus)
完新世

猛魚
(Harpago amphibius)
ジュラ紀

教育博物館「モンストラリウム」、デロール（パリ7区、バック通り46番地）

末に、もしくは海のなかで敵から追われたために、あるいは獲物を取りたいという欲に駆られてか、死の恐怖にとらわれたからか、翼を持ち空を飛ぶ魚は葦原や牧草地に進出した（中略）鰭が海水に濡れることはなくなり、体は乾燥でひび割れて歪んだ（中略）彼らは腹の下に生えた小さな鰭を使って海のなかを歩きはじめた。やがて鰭は脚になり、陸上を歩けるようになったのである」

魚が鳥になる!　これはまさに進化を超えた変態だ。しかし、彼の唱えた魚から鳥への変化は博物学者の興奮をかきたてることはなかった。ジョルジュ・キュヴィエはラマルクの生物変移論的主張を嘲笑うために、テリアメッドの本を引き合いに出した。テリアメッドは、キュヴィエ以前にもヴォルテールに失笑された。ヴォルテールは化石が絶滅した動物の石化した残骸だと信じる人と敵対していた。ヴォルテールの失笑を買ったのは、テリアメッドだけではない。たとえばジャン=ドゥリスル・ド・サル。サルは博物学者ではなかったが、この問題について考えるところがあったようで、1777年に『自然哲学について、あるいは人類のための倫理的概論』を出版した。同時代の人の例に漏れず、サルは動物の世界では交雑によって新種が生まれたと信じていた。サルは著書のなかで、空飛ぶ魚は「コンドルとヤツメウナギという驚異的な交雑」から生まれたと記している。

実際のところ、テリアメッドはもっと狡猾だった。彼は空飛ぶ魚の変態に真実味が足りないことをよくわかったうえで、「たとえ何億匹が新しい生息地に着く前に死んだとしても、新種が生まれるためには2匹がたどりつければじゅうぶんなのだ」と述べた。ダーウィンのはるか前に、自然淘汰の形を発見していたのだ!　テリアメッドの本の最後にはこう書いてある。「魚から鳥への変態よりも、蚕やイモムシから蝶への変態のほうがはるかに信じがたい。蝶への変態が毎日私たちの目の前で起こっているのだから、世界の知らない場所で魚が鳥に変態していてもいいではないか」

LE BERNARD-L'HERMITE

La métamorphose continuelle de l'être universel

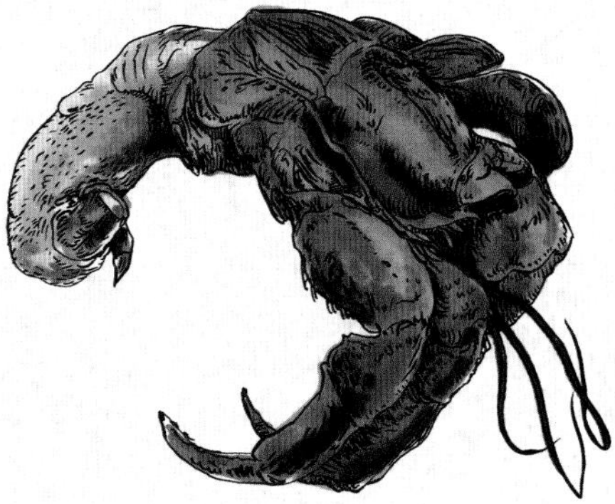

博物学者たちは、
蟹と貝の中間の姿をしたヤドカリから
進化に関するアイディアの着想を得た。
もっとも、完全な想像なのだが……。

ヤドカリ

普遍的な生き物の絶え間ない変態

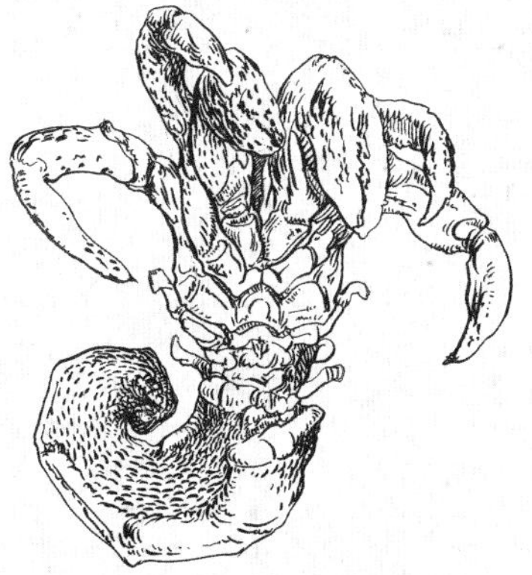

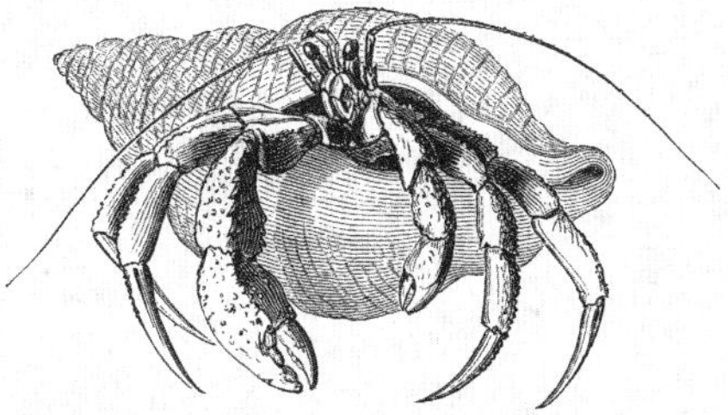

昔、ヤドカリは普通の甲殻類と同じく、
身を守る鋏と棘を持っていた。
いまでは腹部はやわらかくなり、
身を守るための装備は何も持っていない。

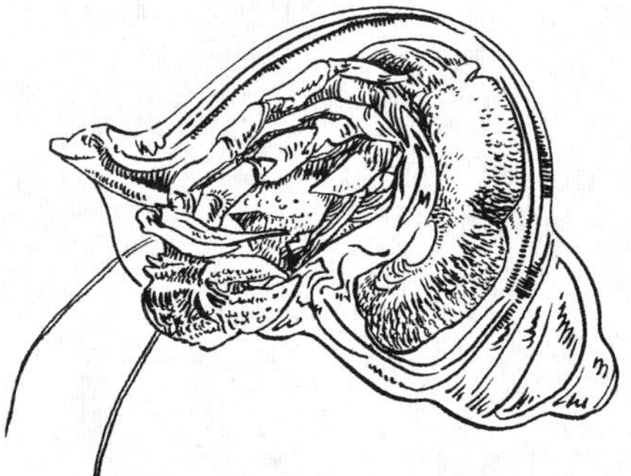

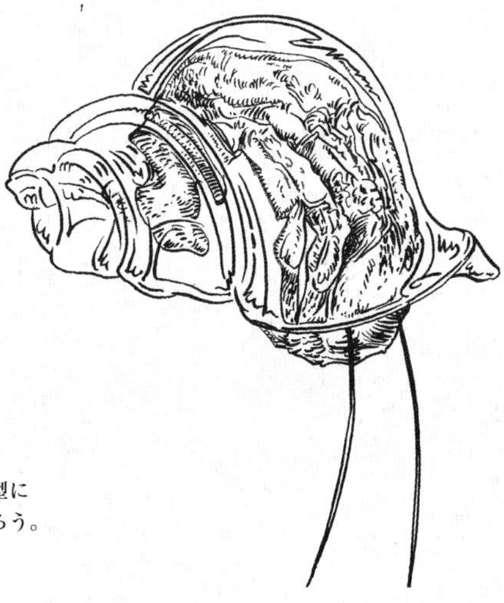

ヤドカリにガラスでできた
貝殻を与えてみよう。
ヤドカリが新しい殻の螺旋型に
順応する方法に感服するだろう。

1768年、博物学者のジャン=バティスト・ロビネは『生き物の形の生理的な段階に関する哲学的な考察もしくは人間のつくり方を習得した自然に関するエッセー』を出版した。ロビネによれば、生きとし生けるものは時とともに変化する。「変態」を繰り返していくと「最も優れた形の生き物、すなわち人間への進化」を説明する生物の連鎖に行き着くと主張した。

ロビネは、「殻つき生物」（軟体動物を指す）から甲殻類へ向かう連鎖を詳しく記した。ロビネいわく、殻つき生物と甲殻類をつなぐ明らかな中間型は、やわらかい腹を守るために海に住む巻き貝から殻を借りるヤドカリだ。「ヤドカリは自分の以前の姿を覚えているのだろうか? 半ば変態したカタツムリのように、脱ぎ捨てた古い殻が自分のものだとわかるのだろうか?　このようなヤドカリの性質は、甲殻類が殻つき生物にいかに近いかを教えてくれる」

ロビネは、甲殻類は次に蛇に変態すると述べた。蛇は「毎年皮を脱ぎ捨てるので、生物全体の序列のなかでも」甲殻類ととても近いと考えたのだ。たしかに甲殻類も蛇も脱皮するが、両者の体内の構造はかなり違う。それでもロビネは甲殻類の殻、つまり外皮がどのように体内に入って蛇の骨格になるかを説明することに成功した（問題を解く鍵は27、41ページにある）。「甲殻類は、原初の姿だけを残して体の外側を覆っていた殻を失くし、角質の薄い膜以外は骨にしてしまう」

蛇からは四足類が生まれた。脚のない蛇がどのように脚を得たのかを説明するために、ロビネはイモムシを引き合いに出した。蝶は「もとの体の器官を失い、新しい器官を手に入れて」蛹から出てくる。ロビネにとって、昆虫の変態は「普遍的な生物の連続する変態」の1つの瞬間に過ぎなかった。労力をかけて説明した結果、ロビネはエビが蛇になり、蛇は魚になることを証明した!　彼の説では、蛇はエビが魚になるための経る蛹のような状態だとされた。残る

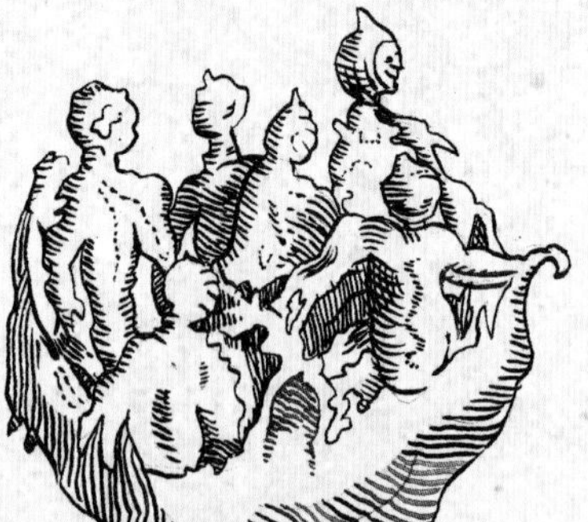

左図はドイツのボン近郊で見つかった
「女性の形をした奇妙な蕪」、
右側は1661年に
アルトドルフの森で見つかった
「6人の人間の形をしたキノコ」。

問題は脚だ。

魚は（もちろん飛ぶ魚という中間系を経て）鳥になる。鳥はコウモリになって、空飛ぶリスになる。魚は大きな鰭のサメを経て、鯨類になる。イルカはアザラシになり、アザラシはマナティーを経て、ロビネが多くの証言から存在を証明しようと試みた海生人間になった！　この分野では、ロビネはテリアメッド（124〜126ページを参照）の説を根拠にした。しかし、海生哺乳類はみな「二肢」で脚がない。猿や、最終的に人間のような四手獣になるためには、ふたたび四足類を経なくてはならないのだ。

ロビネの著書はテリアメッドの本とともに、マルキ・ド・サドの「必須読本」のリストに載っている。ちなみに、このリストにはヴォルテールやスピノザもいる。のちに、ヘーゲルなどの啓蒙哲学者がロビネの説に興味を持った。彼が唱えた「生物の序列」は、ラマルクの生物変移論を先んじているように見える。しかし、比較が突飛であることを理由に、ロビネは博物学者から激しい非難を受けた。たとえば、ロビネは「女性の形をした奇妙な蕪」を自然が実験を行った結果だと考えた。「奇妙な蕪は、人間の形が植物性の成分と調和できるか、人間と植物を合わせるとどうなるかを自然が試した結果だ」と述べ、「変態はかなり進んでいる。最初の試みにしては失敗ではない」と締めくくっている。

MÉTAMORPHOSE DU DRAGON CHINOIS

中国に生息するドラゴンの変態

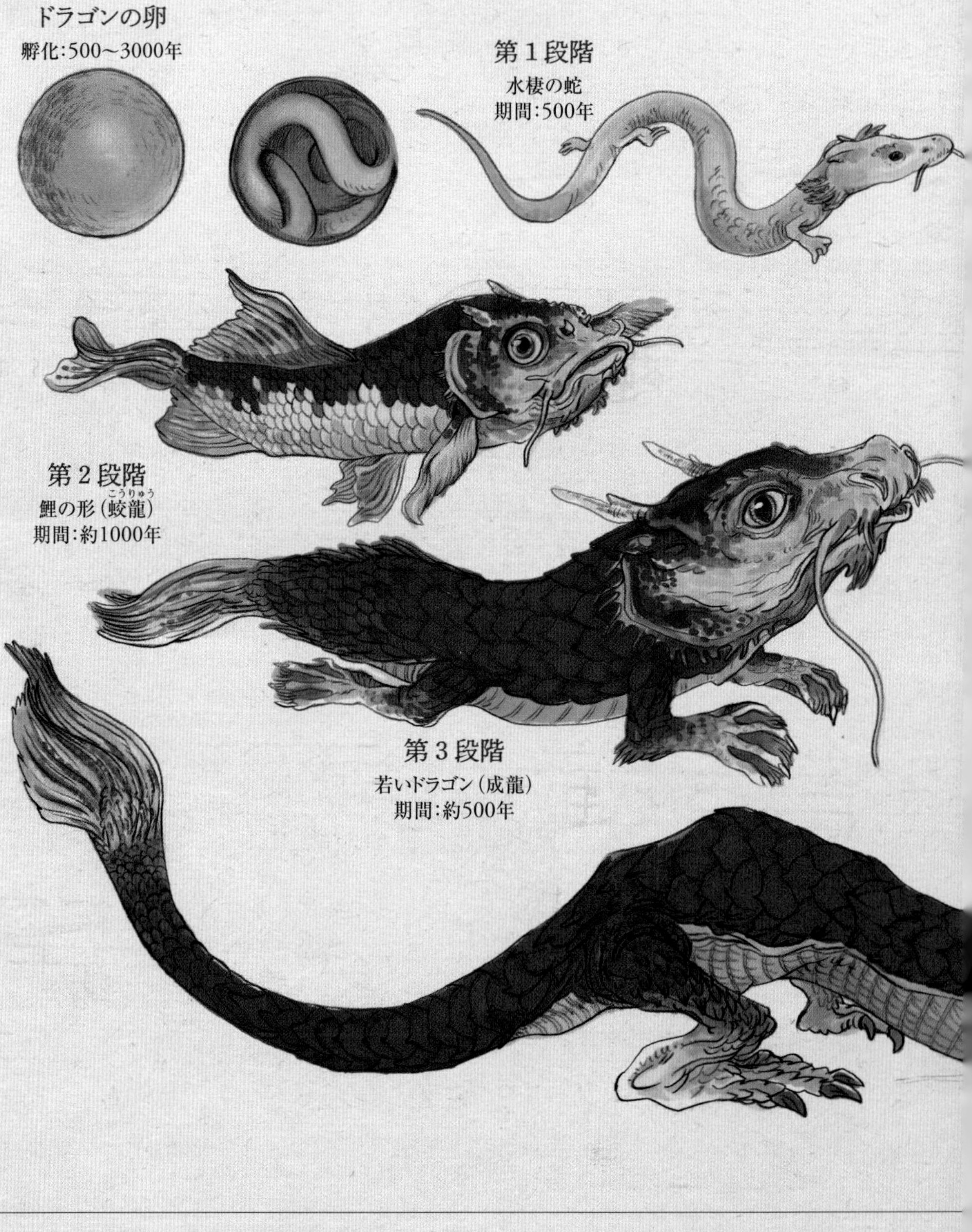

中国のドラゴンの変態能力は最も興味深い特徴の1つだが、
残念なことにまだあまり知られていない。実はドラゴンは種類が多く、
生息地域によって変態方法も異なる。完成形にいたる変態は数千年にわたって続く。
最後の脱皮を終えると、成体のドラゴンは飛び立っていく。

中国のドラゴン

(Draco sinensis)

アジア

中国に生息するドラゴンはたいていの場合、成龍と応龍のあいだに角龍を経る。角龍の段階で角が生え、その後翼が生える。龍と、耳が聞こえないことを指す聾という漢字は、どちらも中国語ではLongと読む。中国のドラゴンは生まれたときに耳が聞こえず、角が伸びていくに従って聴力を得ていくと言われているからだ。種によっては耳がないが、角で音を聞くことができる。

超自然史図版
絵：カミーユ・ランヴェルサッド
幻獣研究家

驚異の部屋「ミラビリエ」、デロール（パリ7区、バック通り46番地）

LE CHEVAL
Refus de parenté

種の違う生物が似ているのは、
創造主の神が
科学的に厳密だったからなのか、
それとも共通の祖先から
進化したからなのか？

1254年ごろにベローナ近郊に現れた
人間の頭を持つ仔馬の図
（アンブロワーズ・パレ、1575年）。

馬
類似性の拒否

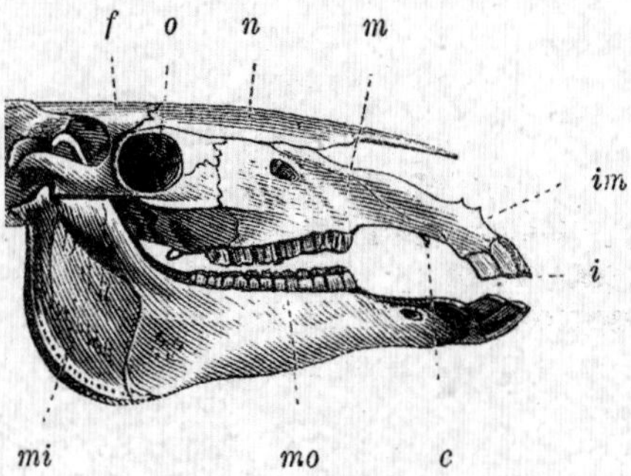

他の部位の骨よりも複雑ではあるが、
馬の頭蓋骨と人間の頭蓋骨でも
対応する骨を比較することができる。

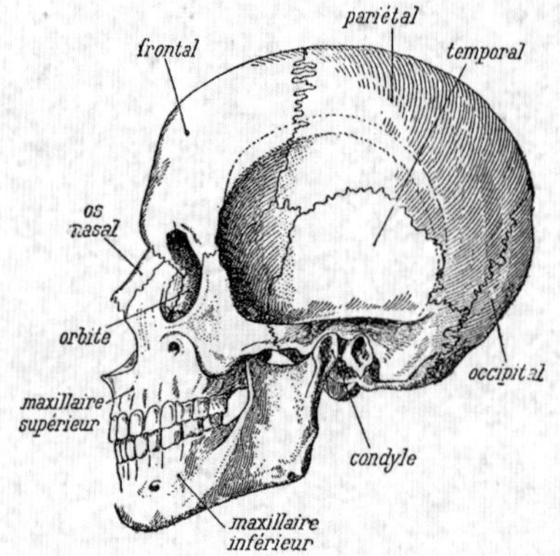

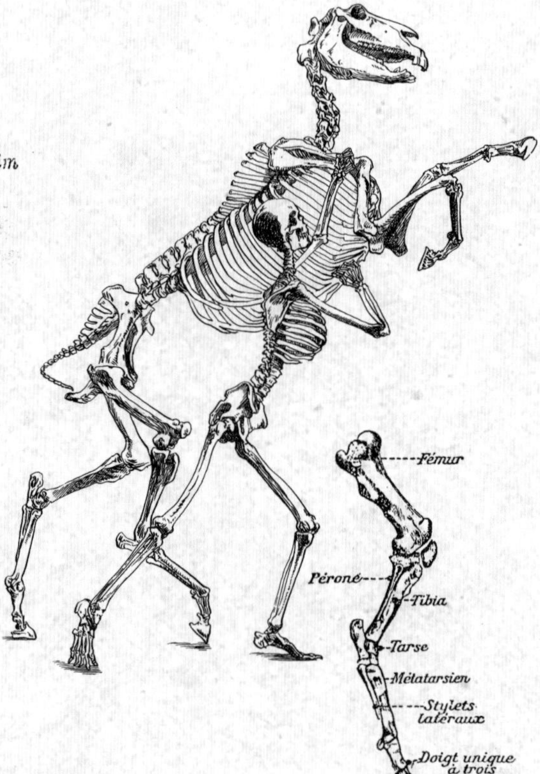

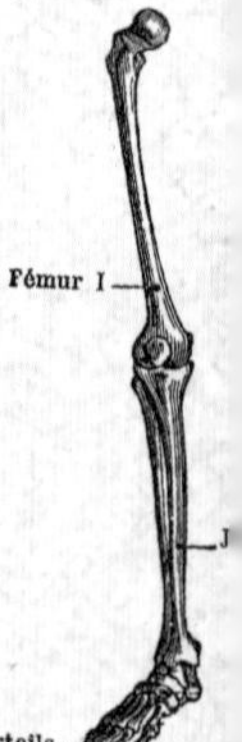

今日では、人間と馬の骨格の相関関係は、
同じ原始的な構造から
それぞれ同時進行で進化した結果だと考えられている。

「人間の骨格を見てみよう。骨盤を傾け、腿と脛と腕の骨を短くし、手足の骨を伸ばして、指の骨をつなぎ合わせ、前頭骨は縮めて顎は伸ばし、最後に背骨を伸ばす。そうすれば、これはもはや人間の骨ではなくなる。馬の骨格だ」。ビュフォンが述べたのは想像による変態だが、説得力がある。人間と馬のあいだには骨と骨、器官と器官の相関関係と血縁関係がある可能性を示す類似点があるとビュフォンは述べた。人間を馬に、あるいは馬を人間にするにはちょっといじるだけで事足りるのだ！　「この点から見れば、ロバと馬だけでなく、人間や猿や四足類やすべての動物は、同じ仲間からできたと考えられるのではないだろうか」

ビュフォンは華々しい論証を述べたものの、最後には尻込みした。類似点は生き物が親戚であることの証明にはならないのではないか。聖書が禁じているのだから、すべての生き物が親戚であることはあり得ない……。「いや、違う。すべての生き物が等しく創造の恩恵に与《あずか》っていることは、啓示によって証明されている。それぞれの種の最初の2匹はすべて、神の手によってこの世に現れた。今日の世界にいるのはほとんどがその子孫だと考えるべきなのだ」。ビュフォンは観察と理性に基づいた長い論証を、議論の余地のない、まさにすべての審議を認めない神の権威による論法に換えてしまったのだ。進化などまったく問題にせず、ただのなぞなぞで話を終えてしまった。教義そのものを揺るがし、進化論的な思想を捨てると言いながら、なおも主張しているように思えるビュフォンの著書は、ローマ・カトリック教会からなんのお咎めも受けなかった。

ビュフォンから約100年後の1830年、ジョフロワ・サンティレールがビュフォンの案に呼応した。フランス国立自然史博物館の教授だったサンティレールは、生物変移論者（つまり進化論者）だった。「馬のかつての手足と人間の手を比較すると、形の面では大まかなところしか似ていない。ところが、骨、関節、筋肉、すべてのパーツの配置と均衡関係は同じだ。つまり、馬と人間は連結が同じなのだ。自然は、動物を形作るために限られた数しか器官のパーツをつくらなかった。それぞれのパーツの位置を乱すことなく、縮めたり、小さくしたり、失くしたりしたのだ……。この秩序、配置、関係性は、すべての動物に共通する。より厳密に言えば、複数の動物がいるのでなく、動物はたった1つで、その器官が形・用途・大きさによって変わるものの、構成する物質は驚くような変態を経てもなお、つねに同じなのだ」とサンティレールは述べている。

MONSTRO-MORPHOSE DE L'HOMME-CHEVAL

馬人間の異形変態

人間から馬への変態はときおり失敗するが、
失敗しなかった場合は擬似変態、
異形変態と呼ばれる馬人間の中間形にいたる。
古代のケンタウロスは、このような変則形が
数世代にわたって安定した結果だと考えられる。

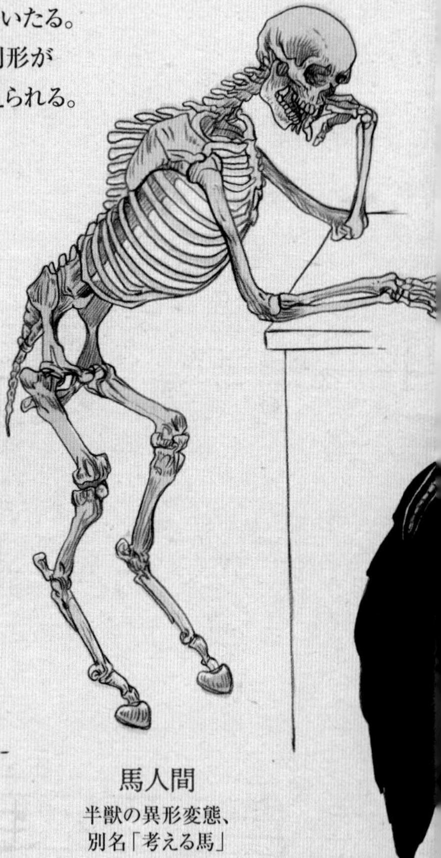

馬人間
大頭蓋の異形変態
1／10縮小

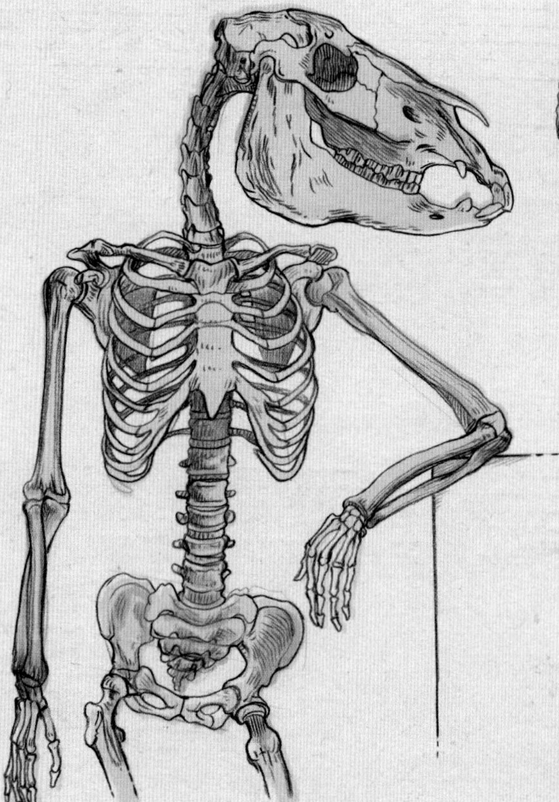

馬人間
半獣の異形変態、
別名「考える馬」
1／10縮小

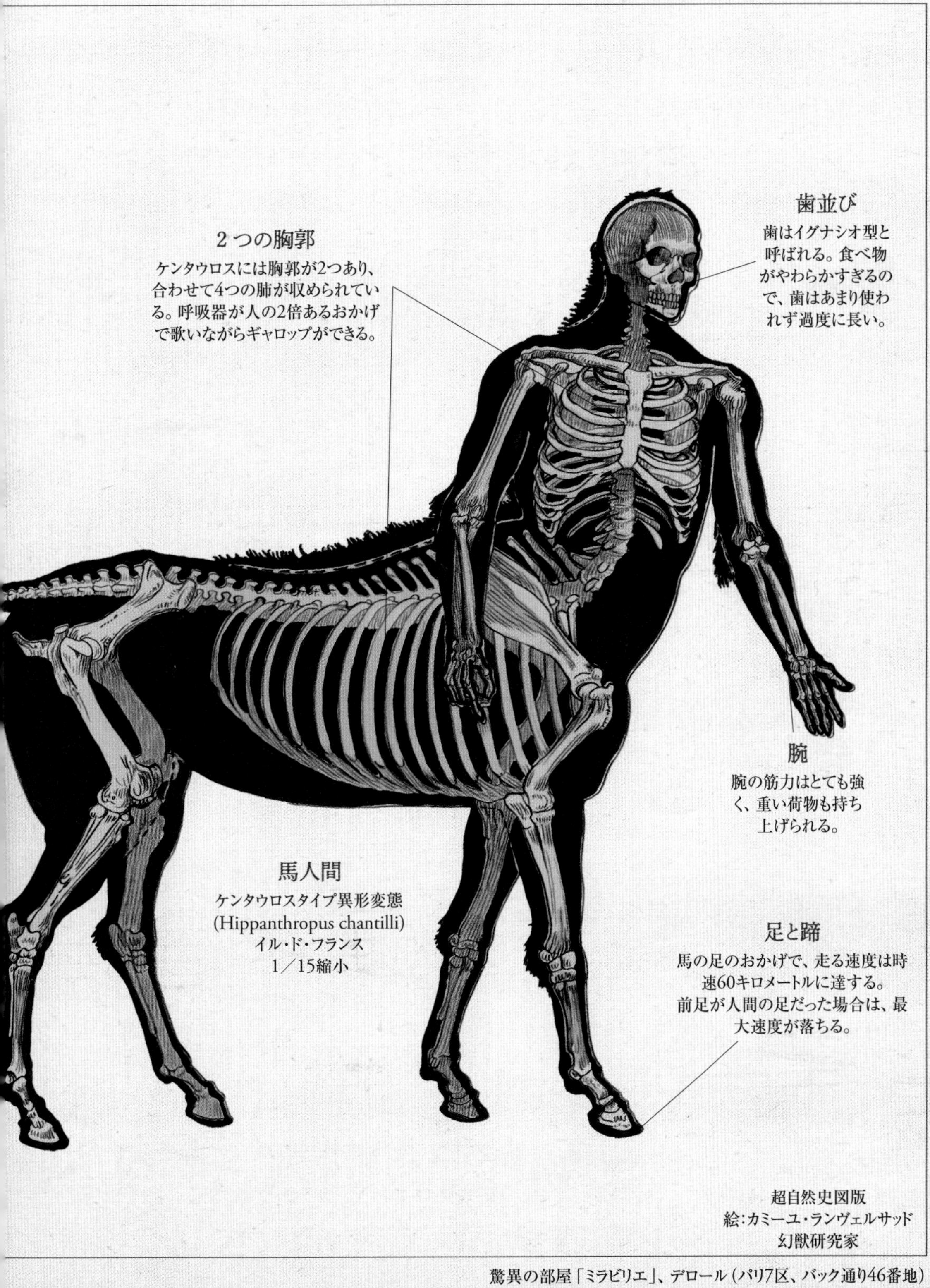

驚異の部屋「ミラビリエ」、デロール（パリ7区、バック通り46番地）

LE CANARD
De l'usage de l'organe

「役割が器官をつくる」というのは、
いつの時代もよく知られた
決まり文句だが、
200年に及ぶ生物学の研究は
その決まり文句と矛盾している。

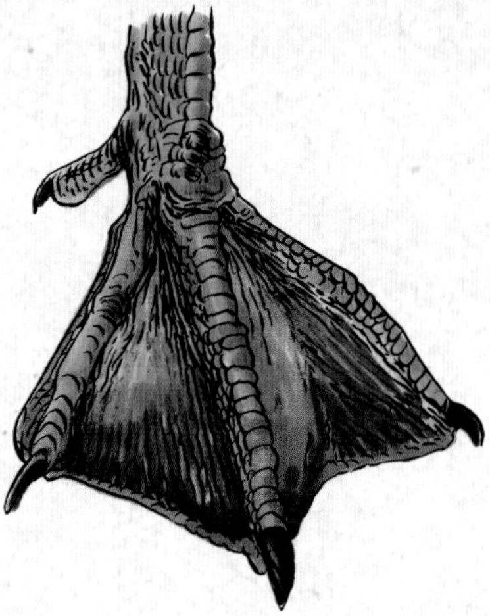

鴨
器官をどう使うか

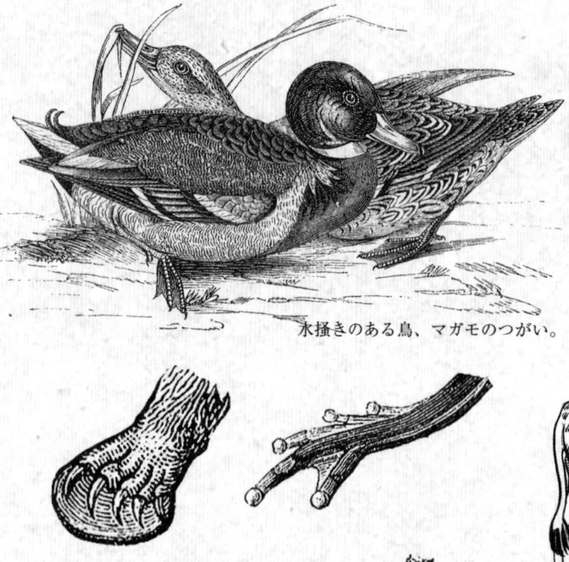

水掻きのある鳥、マガモのつがい。

水掻きは鳥類の足にもあるが、
哺乳類（カワウソ、ビーバー）やカエルやワニにも見られる。

ラマルクによれば、キリンの首が長いのは、
キリンが繰り返し高いところの葉に
首を伸ばそうとした結果だという。
今日では、この説は否定されている。

水面に浮かぶ鴨は、激しく足を叩きつけて水面に波紋を描く。その繰り返しは、鴨の体内の繊細な仕組みに大きな変化を起こした。指同士が膜でつながり、足に水掻きができたのだ。19世紀、ラマルクが鴨に起こった変態について「一箇所から枝分かれする指をつなぐ鴨の皮膚は、絶えず繰り返して開くことによって伸びていった。しだいに、鴨やガンの指をつなぐ大きな膜ができていき、いま私たちが見るような形になっていった」と記した。もちろんこれは実際の出来事を説明しているわけではなく、ラマルクが述べた仮説に過ぎない。

ラマルクは1809年の著書『動物哲学』のなかで動物変移論に則った思想を述べた。ラマルクいわく、生きている動物の種はときとともに変化し、新しい種を生む。これに敵対したのがキュヴィエをはじめとする「生物不変説」だ。生物不変説では、種は決して変化せず、今日の種は創られたころから変わっていないと考えられていた。しかし地質学と古生物学の発見が蓄積されるに従って、地球は聖書が説くよりもかなり古く、かつて生きていたいくつかの種が今日では絶滅していることが明らかになった。ラマルクやその他の博物学者は、絶滅したのではなく形を変えたのだと主張した!　種の変移という仮説は、ローマ・カトリック教会が力を失い、以前のように強大な力で聖書に反する思想を取り締まれなくなるに従って存在感を増していった。

ラマルクは種の変化のメカニズムを想像して、生物変移論に新風を吹き込んだ。ラマルクいわく、動物は生きていくなかで遭遇した必要に応じて器官を変容させた。この考えをまとめると次のような衝撃的な成句になる。「役割が器官をつくる」。つまり、鴨に水掻きがあるのは、必要だったからなのだ!　ラマルクは、このような一種の変態は体内の液体の動きによって起こると説明した。「生物の動きによって、器官が形成された体内の流体に加速度がかかり、流体が細胞組織を動かす。細胞組織のなかを流れた流体が道を切り開き、さまざまな管をつくり、最終的にその生物の体の状況に従って異なる器官をつくる」。ラマルクは、個人の体内で起こった変化は子孫に受け継がれ（「獲得形質の遺伝」）、世代を経るごとに変化が蓄積されて本当の意味で種が変態にいたると推測した。鳥類が水掻きを獲得し、キリンの首が長くなったのは、このためだと説明したのだ。

ラマルクほど有名ではないが、その他の理論家も意見を述べた。たとえば医師のジョゼフ・ブレッシーは、1804年に気候と食事が種の変化に与える重要性を強調した。「ネコ科がオオヤマネコ、虎、ライオンなど次々に新しい種をつくることができたのはそのためだ。ラッパ型の鼻を伸ばし、体重が増えて足の裏が平らになり、牙を長く伸ばし、皮膚が弱くシワがあるために比類なく重い体の後ろ半身にのみ毛を生やした豚が、象だ。こうなるためにはとても暑い気候、とても豊富で栄養価の高い食料、数百年の安全が必要だった（中略）レバノン杉は地衣類の変種に過ぎず、象はアブラムシの変種に過ぎないのである」。ブレッシーは、食料の形が動物の見た目に影響するとまで推測している。「鹿の頭に木がついているのは、鹿の食料である木の性質が保たれているのだ」

ラマルクの説は、フランス国内で広く認められる前に、キュヴィエに論破された。しかし、フランスの博物学者は、ラマルクをダーウィンの説を否定する手段に使おうとした。同じフランス人という愛国心からだけでなく、ダーウィンの説が無視できないものだったからだ。実際に、動物が器官を必要としたので自然がそれを与えたというラマルクが提唱したメカニズムにはとても説得力があった。慈悲深い自然は、神学者にとっての神と非常に近い。この観点から見れば、ラマルクの自然変移論は、聖書に描かれた年表と出来事の厳密さに欠ける解読と照らし合わせれば、カトリックの教義と完全に両立しうる。反対に、チャールズ・ダーウィンが提唱した自然淘汰説では、自然を個人レベルの偶然だけが干渉する超然とした存在と仮定している。

動物の必要に応じて変態が起こったという仮説は、今日では生物学者に否定されている。現代の進化論では、偶発的な突然変異のおかげで、いままでになかった行動を発展させることのできる解剖学上の新しい特徴が出現したとされている。「役割が器官をつくる」のではなく、「器官が役割を可能にする」のだ。しかしながら、環境の制約を受けて変態した動物のおかげで、ラマルクは進化論と、進化論と生態学との深い関係を広めることに大いに貢献したといえるだろう。

MONSTRES ET MUTANTS
Des nouveautés prometteuses

モンスターとミュータント

将来性のある新種

ドイツ人でのちにアメリカに帰化した遺伝学者のリチャード・ゴールドシュミット（1878～1958年）いわく、進化がつねに緩慢で段階的だとは限らない。ゴールドシュミットは、真の意味で解剖学的に新しい種の出現は「将来性のあるモンスター（hopeful monsters）」の誕生と関係していると考えた。この「将来性のあるモンスター」というのは、祖先と根本的に異なり、生存に優位に働く重大な突然変異をもつ個体につけられた名前だ。進化論に従うと、偶然出現した新しい特性は子孫に遺伝する。つまり、その個体が新しい種の最初の一体になるのだ。考え方はおもしろいが、ゴールドシュミットが生み出した名前は、同業者から関心よりも笑いを買った。彼の主張するマクロなミュータント（突然変異体）は、発生過程でも生育過程でも不可能で実現性が低いと思われたのである。

一般に使われる「ミュータント」という言葉は、生物学者が使うそれと意味が異なる。科学者のいうミュータントは、DNA変移が起こった生物に過ぎない。この点から見れば、たいていの場合は目に見えないが、私たち1人1人がミュータントだといえる。しかし個人の変態は少しも問題にはならない。生物学者がいうところの突然変異は、父親の精子もしくは母親の卵子のなかで起こり、ミュータントは父母から受け継いだ細胞のそれぞれに新しい遺伝的性質を持っている。

一方、多くの人が考える「ミュータント」は変身人間だ。マーベル・コミックの『X-MEN』に登場するような、多かれ少なかれ自分の意思で短時間だけ姿を変えられて、変身能力を持ち、「超能力」を備えた人間がミュータントだと思われている。生物学のミュータントの定義と一致するのは、そうした特徴が子孫に遺伝するというところだけだ。物語の中心にあるのは、ミュータントが秘めている新しい人間を生み出す能力だ。結果的に、誤った定義のミュータントは、狼男よりもゴールドシュミットのいう将来性のあるモンスターにとても近い!

1940年に出された彼の著書『進化の基材

［*The Material Basis of Evolution*］』と仮説は、1953年のDNAの発見によって一掃されてしまった。その他の説も遺伝学者によってはっきり否定された。しかし、古生物学者のスティーヴン・ジェイ・グールド（1941～2002年）が化石に見られる進化の明らかな跳躍について研究を行い、ゴールドシュミットの説を一部復権した。実際に、いくつかの種は突然現れたか、進化の段階をすっ飛ばして変身したと考えられている。グールドいわく、胚の成長メカニズムに関する単純な突然変異は、成体に著しい影響を与える可能性がある。進化生物学の領域では、このような動物の深部構造を瞬く間に変えうる「ホメオティックな突然変異」が数多く研究対象になっている。「将来性のあるモンスター」はまだ消えていないのだ!

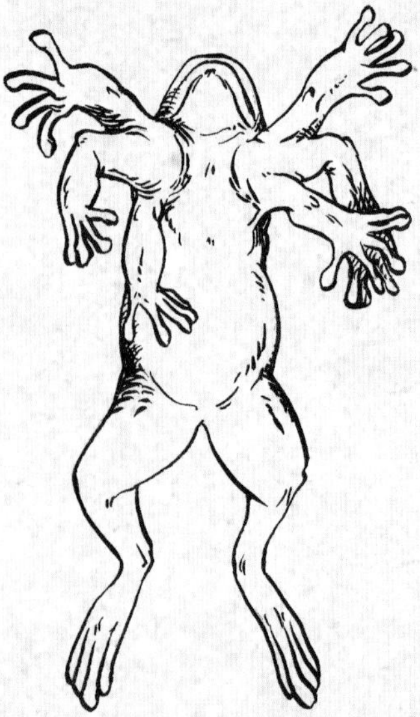

突然変異なのか、発育の異常なのか？
モンスターガエルの子孫の形は
この問いの答えによって決まるのだから、
生物学者にとって差異は重要だ。

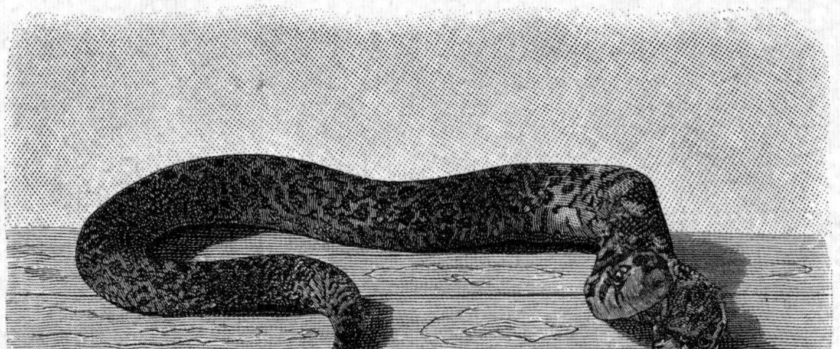

古典的なモンスターに
よく見られる双頭の動物は、
まったく「将来性」がない。

MÉTAMORPHOSE RÉGRESSIVE DU POULET

鶏の退行変態

本書の著者である研究者たちは科学の限界を超えて、ただの鶏を恐ろしい太古のトカゲに変身させた。大昔の恐竜の遺伝子を再活性化させて胚の成長を修正し、ヴェロキラプトルや始祖鳥の仲間に近い恐竜をつくった。

鶏が恐竜に向かう、胚の変態のさまざまな相

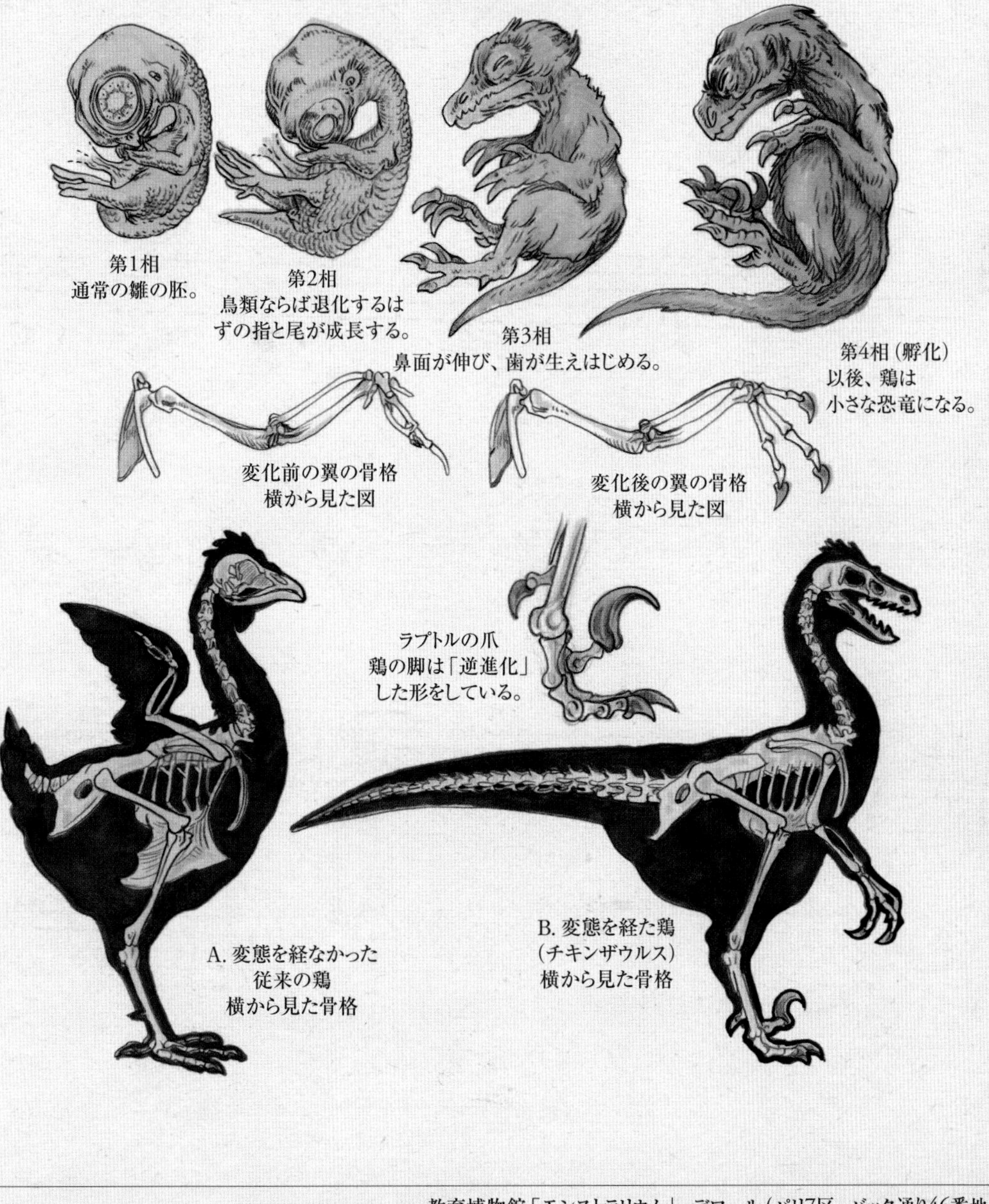

教育博物館「モンストラリウム」、デロール（パリ7区、バック通り46番地）

LES ANIMAUX DOMESTIQUES

Le corps et l'esprit

おそらく人間には創造主の力はない。
しかし人間は世界を変え、
家畜化によって動物を変態させた。

家畜

体と精神

現在存在する
約850種の羊は、
すべて1万1000年前に
家畜化された
ムフロンという野生種に
由来する。

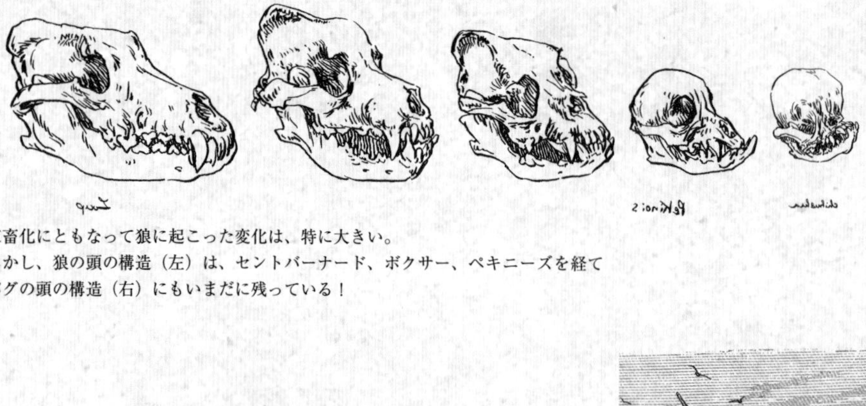

家畜化にともなって狼に起こった変化は、特に大きい。
しかし、狼の頭の構造（左）は、セントバーナード、ボクサー、ペキニーズを経て
パグの頭の構造（右）にもいまだに残っている！

毛にブチのあるイエウサギ。

家畜化は狼を犬に変えた。
狼のような祖先に始まった
人間の変態も
人間によるセルフ家畜化の
結果なのだろうか？

1841年、イジドール・ジョフロワ・サンティレールは人間の家畜化が動物に起こした変化に驚嘆した。「人間は、自然が人間と無関係あるいは敵対関係につくった動物を、奴隷、パートナー、ときに友人に変えた。まるで第2の創造のように」。同じく、家畜化が動物の進化に及ぼした影響に興味を抱いていたダーウィンは、飼育は選別と的確な交配によって動物を「完全に変態」させたと述べている。

だが、貫禄のある大ヨークシャー種が猪の特徴を受け継いでいるといえるだろうか？　両者は体の大きさ、形、体毛、色から行動まですべてが違う。動物学で種が同一かそうでないかを決める基準は、その動物のあいだに子どもが生まれるかではなく、生まれた子どもに相互稔性があるかどうかだ。この点、豚と猪が同種なのは確認済みである。両者の交雑種のイノブタが森で野生の猪に取って代わることもあるほどだ。

豚はときには猪より大きくなるが、牛の場合は大半が祖先のオーロックスよりも小さい。オーロックスは体高2メートルを越すこともある。イエウサギの仲間では、フレミッシュ・ジャイアントが体重10キロ、最も小さいネザーランドドワーフがその10分の1なのに対し、原種のアナウサギは平均2キロである。

動物学的な観点から見ると、犬もたった1つの種から生まれている。どの犬も原種はみな、狼だ。ただし、アジアとヨーロッパで別々に家畜化されたので、少なくとも2度家畜化されている。つまり、犬の多様さゆえの解剖学的な難点は考慮しなくてはならないが、少なくとも理論上は2つの祖先に由来するすべての犬に相互稔性があると考えられる。明らかに体長が違うので、誰もセントバーナードとチワワを実際に交配させようとは思わないが……。両者はサイズだけでなく、形も体毛も行動も違う。プードル、バセー・アルティジャン・ノルマン、ブルドッグ……。どうして狼からこれほど異なる動物をつくることができたのだろう？

家畜化が始まったとき、最初の飼育者が選別方針を決める前から、動物たちは野生下ではなかった条件に直面しなくてはならなかった。人間に飼われる生活を生き延びたのは、その生活様式と人間と暮らすことに耐えられた動物だけだ。このような「自動的な」選別と、交配のときに飼育者が行う選別によって、おそらくいくつかの動物はかなり早い段階で排除されて、飼育に適した動物のみが家畜化された。そうして選ばれたのがオーロックスと、最も小さい、つまり最も危険性の低いイノシシと、いまよりも体毛が長く艶やかだったヤギだ。

家畜化された犬と豚とウサギとヤギの仲間には、同じ特性が現れた。体毛にブチができる、耳が垂れるなどだ。遺伝子レベルでは、体毛の色と動物の行動には相関関係があることが知られている。遺伝的な管理下で生じる物質、メラニン色素が体毛と行動の双方に作用するためだ。また、甲状腺の突然変異のために、より小さく、よりおとなしく、垂れ耳になる傾向が見られた！

ロシアの生物学者は厳しい管理下でギンギツネを飼育して、家畜化が起こした変化のプロセスを再現しようとした。実験は1958年に始まり今日まで続いている。実験では、まず野生のギンギツネのなかから人間にストレスを感じにくく攻撃的でない個体を選び出した。そして、それらを交配させると、10世代と経たずにブチができて犬のように尻尾を振る人懐っこい性格のギンギツネが生まれた。野生動物の家畜化にともなって起こった変身が、わずか数年で実現したのだ！　おとぎ話の変態ほどの速さではないものの、想像よりもかなり早い！

LE SINGE
Le cousin mal-aimé

グロテスクな風刺なのか、
悪魔のような分身なのか、
それとも最も近い親戚なのか?
猿と人間はつねに比較されるが、
人間も猿の仲間なのだ。

猿
嫌われる親戚

デッラ・ポルタは、アリストテレスを参考に、
猿の耳に似た耳を持つ人は好色だと主張した
(『人間の容貌［La physionomie humaine］』、1655年)。

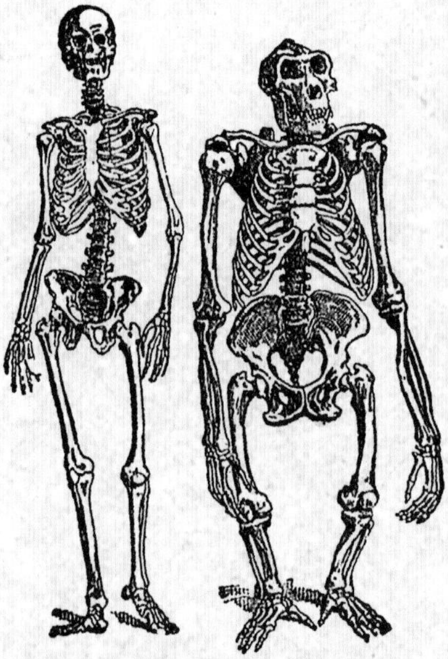

人間の骨格とゴリラの骨格。
類似を重視するか、
相違を重視するか、
動物学者は目的によって使い分ける。

猿の特徴の1つだと考えられている模倣能力は、人間社会に
混じったときにも発揮される!

誓いを破り裏切ったケルコスの民を罰するため、ゼウスは彼らを「人間に似ていながら人間とは違う風に見える」姿に変身させた。動物の名前は出てこないが、オウィディウスは最も人間に似ていながら「うなるような鋭い声」しか出せない、人間とはまったく別物の猿だと断定している。オウィディウスは、人間と動物を根本的に隔てるのは言葉を持つかどうかだと考えていた。

多くの作家にとって、猿への変態は特別な意味を持つ。19世紀、ポール・セビオは多くの「二元論的」創造の寓話を書いた。そのなかで悪魔が神の業と張り合おうとするのだが、悪魔には雑で滑稽なレプリカ、質の劣った模造品、「災いを及ぼす複製」しかつくれない。悪魔にかかると、羊の代わりに狼が、ウサギの代わりにケナガイタチが、人間の代わりに猿ができる。また、猿は人間を初めてつくろうとしたときにできた失敗作や未完成な作品だともいわれている。まさに悪魔が「神の猿（marmouz Doué）」とも呼ばれるブルターニュでは、こうした寓話がよく見られる。

「人間を風刺」する猿は、進化の思想が生まれる前から人間に最も近い種だと広く考えられていた。しかし、ビュフォンはこれを否定した。ビュフォンによれば、猿には犬や象のような「愛情深く繊細ともいえる感情のやりとり、誠実な愛情や自発的な服従や無私の奉仕や心からの献身といった」性質が欠けている。「つまり、猿よりも他の動物のほうが人間に近い（中略）実のところ、猿は人間の仮面をかぶっているが、内面は思考やあらゆる人間らしさを欠いた獣に過ぎない」。猿と人間の類似性は、人間のルーツを明らかにするかもしれないために、恐れられたのだ!

偏見のない目で見れば人間と猿が似ているのは明らかなので、類似性が昔話や神話の題材になってきた。なかには、猿から人間が生まれたとする話もある。チベットの有名な創造神話によると、最初のチベット人は2匹の猿から生まれた。そのうちの1匹、ファ・トレルゲン・チャンチュブ・センパは観音菩薩の化身。もう1匹はマ・ドラグ・シンモという岩の鬼だったが、観音菩薩を誘惑しようとしたがために猿に変身してしまった。2匹のあいだに生まれた6匹の小猿がチベットの部族の祖先だという。チベットのように猿から人間になる例は少なく、罪を犯した罰として人間が猿になるタイプの話のほうが多く見られる。たとえば、カビールに伝わる昔話では、青年が世界を創った母の悪い助言に従ったために猿になってしまう。

1616年、イタリアの哲学者ルチリオ・バニーニは、人間は「最も卑しい動物から最も優れた動物の人間までつながる段階的な推移によって」動物とつながっているのではないかという意見を述べた。3年後、彼はトゥールーズ議会で「神の威信への冒瀆、無神論、神への不敬、不信心、その他の罪」のかどで有罪を言い渡され、舌を抜かれたのちに火で焼かれた。無信仰者や異端者に対する攻撃を危惧していたイエズス会修道士のガラッスによれば、「幾人かの善い精神を持った無神論者は、人間が雌猿と雄猿の子孫から生まれ、教養を育んだのちに完成形にいたって人間の形になったと考えている（中略）この世に人間を生んだ動物がいるとすれば、それはおそらく猿かマゴットだろう。あの男（バニーニ）は危険な馬鹿者だ（中略）カイン、ユダ、カルポクラスを除いては、この分野においていまだかつて彼ほど忌まわしくひどい人はいなかった」

バニーニの例は、人間のルーツを考えるようになった後世の博物学者たちに用心せよと教

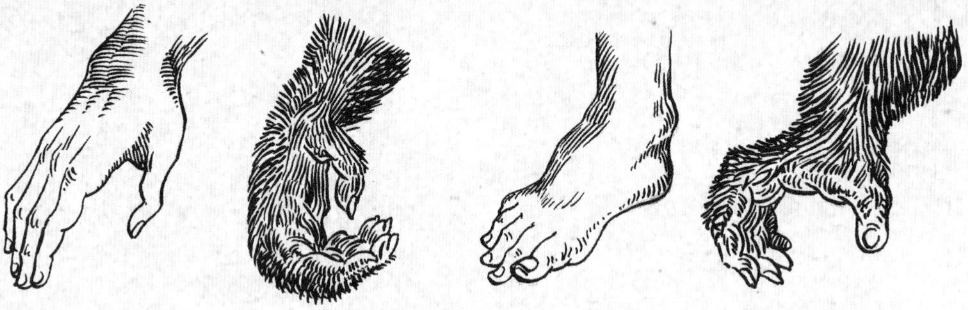

人間と他の霊長類の違いは、足の親指でものを掴めないところ。

えてくれている。だが19世紀になると、教会による書籍への検閲はやや緩くなった。おかげで自然史の分野でも昔話のような愉快な話を記せるようになったのだが、そうした話は「真実」であるだけに昔話よりも刺激的だった。ラマルクは、猿が二足動物になっていった様子を「他の動物に勝る必要と、遠くまで広く見渡す必要に駆られて、猿は後ろ足で立つようになった。世代を経るうちにそれが常態化していったのだろう」と想像した。これらの猿は生息に適したすべての土地を手中に収め、他の種の進化を阻止した。最終的に「その他すべての動物の上に君臨する絶対的な覇権を得た優れた種が、動物とのあいだに重要な相違や区別を築き、最も進んだ動物になることができた」。当時、ローマ・カトリック教会は権力の大半を失ったにもかかわらず検閲を続けていたため、ラマルクは、人間のルーツは動物ではないので、この話は人間とは関係ないと唐突な文言を付け加えている。ラマルクは他に人間のルーツに関する著書を残していないので、同時代の読者はそれ以上を知ることはできなかった。

50年後、チャールズ・ダーウィンがこの問題に対峙した。彼は最初、動物の種の進化には触れなかったが、『種の起源』の12年後の1871年に出版した『人間の進化と性淘汰』で、人間の進化に言及した。ダーウィンが「人間は猿の子孫である」と書いたと思っている人は多いだろうが、実は違う。彼は、人間の祖先になった猿はすでに存在していないこと、人間はチンパンジー、テナガザル、マカックといった現在も生きている動物の子孫ではないことをはっきり知っていた。「人間は毛が生え、尾があり、耳の尖った哺乳類の子孫である。おそらくその哺乳類は森で暮らし、太古の世界を生きていた」というのが、ダーウィンが実際に書いた文章だ。生物学や古生物学の発見を経て150年がたった今日でもなお、ダーウィンの説は正しいと考えられている。

ダーウィンの時代でも幾人かの博物学者と一部の大衆は彼の考えを好意的に受け入れたが、その他多くの人々は彼の説に憤慨した。たとえば博物学者のルイ・アガシーは「神の力はそれほど貧弱ではない。理性を持った人間を創るために、神は猿を人間に変えなくてはならなかった」と述べた。人間の過去と猿を結びつけて顰蹙を買ったダーウィンは、当然ながら、少なくとも体の一部が猿になった姿で風刺されるようになった。

LE SURHOMME
Plus qu'adulte

蝶やカエルやアホロートルは、
人間も変態できるのではないか
という妄想を私たちに抱かせる。
私たちは、
いまよりも優れた人間になる前の
幼生なのだと……！

スーパーマン
成人以上

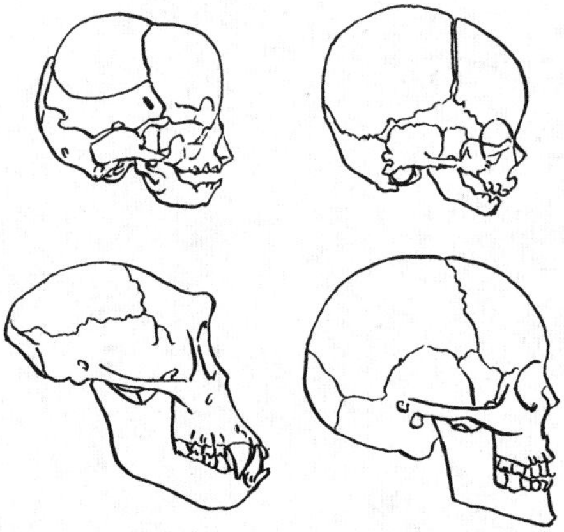

生まれたてのチンパンジーの頭蓋骨は
人間の赤ちゃんの頭蓋骨とよく似ているが、
成長するに従って大きく変化する。
一方、人間も成長はするが、
全体的な形はあまり変わらない。

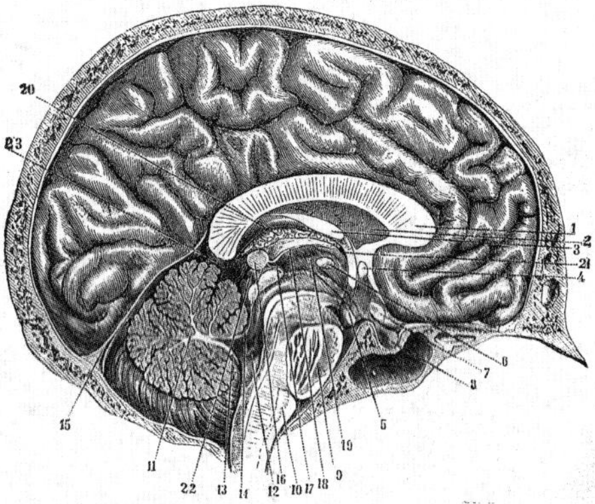

人間の脳は、
世界で最も複雑な器官であるため、
ときに推測の要素を加えて描かれる。

アホロートルは成体になっても
幼生の鰓を持ったままなので、
まったく水から出ずに
暮らしつづける。

「ぼくはアホロートルに取り憑かれていたことがある。パリ植物園の水族館へアホロートルを見に通って何時間も眺めては、彼らのかすかな動きや不思議な行動を観察した。そしていまや、ぼくがアホロートルになった」。アホロートル（メキシコサンショウウオ）への変態を描いた『アホロートル』というフリオ・コルタサルの1963年に発表された短編小説だ。「ぼくは水槽のガラスに顔を押しつけて、虹彩もまぶたもない金色の目の神秘を見破ろうとしていた。そのとき、ぼくはガラスにくっついてじっとしているアホロートルの顔をとても近くから見つめていた。すると、転移も驚きもなく、ガラスに押しつけられた自分の顔が見えた。ぼくは水槽の外にいるぼくを、ガラスの反対側から見ていたのだ」

アホロートルに変態した語り手の精神は、それまでの人間の体から抜け出して、アホロートルの体内に入ってしまった。これは真の意味での変態ではなく、むしろ人間と動物の意識の交換といえるだろう。状況の恐ろしさは、アホロートルが一目見て魅力的な生き物とはいえないだけにいっそう際立つ。コルタサルの小説の舞台は、メキシコからパリの自然史博物館の水槽に数匹のアホロートルがやってきてからちょうど100年後だ。川底で暮らすサンショウウオであるアホロートルには、他のサンショウウオと明確に異なる特徴がある。姿は幼生のまま、繁殖可能な成体になるのだ。この現象をネオテニー（幼形成熟）と呼ぶ。つまり原則としてアホロートルは変態しないのだ!

サンショウウオの仲間の幼生は、成体に比べて体の割に大きな頭をしているが、四足動物だ。つまり、サンショウウオの変態はオタマジャクシからカエルへの変態ほど劇的ではない。変態はおもに呼吸面で起こる。幼生は鰓呼吸だが、成体には肺がある。それ以外には、サンショウウオの大半の種類が変態に際して頭身バランスを変えるくらいだ。ところが、アホロートルの仲間は成体になっても鰓を持ったままで、水から出ない。この現象は体全体の成長から生殖器官の成熟が取り残されているために起こる。体と生殖器の成長速度が分離しているのだ。だが、絶対に変態しないわけではない。甲状腺ホルモンを投与したり、特定の生育環境で育てたりすると、アホロートルも他のサンショウウオと同じように変態する。そして鰓《えら》がなくなり、肺呼吸をするようになる。

ネオテニーは他の動物、とりわけ人間にも見られる!　チンパンジーの赤ちゃんは顔面が小さく、頭蓋が丸みを帯びていて、大人のチンパンジーよりも「人間」に近い見た目をしている。だが成長するにつれて鼻面が伸びて、頭蓋と比較して顔面が巨大になる。子どもと大人の頭蓋のバランスの変化はあまりに大きく、まるで変態したかのようだ。一方、人間の場合は新生児と成人でもバランスがあまり変わらず、成長しても非常に子どもらしい球状の頭蓋と小さく平らな顔のままだ。まるでアホロートルのネオテニーのようだと、1926年ごろにルイス・ボルクというオランダの生物学者が指摘した。

しかし、人間が幼生だとしたら、いったい何の、誰の幼生だというのだろう?　もしも人間が15〜20年で育ちきらず、「超成人」に変態するために成長しつづけたら、何が起こるのだろう?おそらくチンパンジーのように、顔面と顎が肥大すると考えられる。アメリカ映画はまさに多くの超成人、むしろ「超人」を生み出した。大きく成長した立派で特徴的な顎をして、通常の人間よりも思春期が遅れているキャプテン・アメリカはその一例だ。キャプテン・アメリカの控えめな性生活は、人間固有のネオテニーによる性欲減退の仮説を裏付けている。まさかハリウッドは、キャプテン・アメリカがチンパンジーと比較されるとは思ってもみなかっただろう!

同じく『アホロートル』という題のもう1つの変態物語がある。初めて宇宙へ送られた宇宙飛行士の旅を描いた1954年の短編小説で、作者はロバート・アバーナシーというアメリカ人の作家だ。宇宙空間の光線の影響で、主人公は特定の状況に置かれたアホロートルのように変態してしまう。「生物学者いわく、人間は成長が遅れた胎児、年を取っても決して成体になることのない一種の胚でしかない。いまとなってはそれがなぜかわかる。人間が成熟するための条件や定めは地球に存在しないのだ」。『アホロートル』の主人公は変態して爪や肺を失う代わりに超人になった。テレパシーによって婚約者や同僚を宇宙空間に呼び寄せ、星のあいだで遊ぼうと子どもたちを誘うようになったのである。

L'HOMME DE DEMAIN
Métamorphoses rêvées

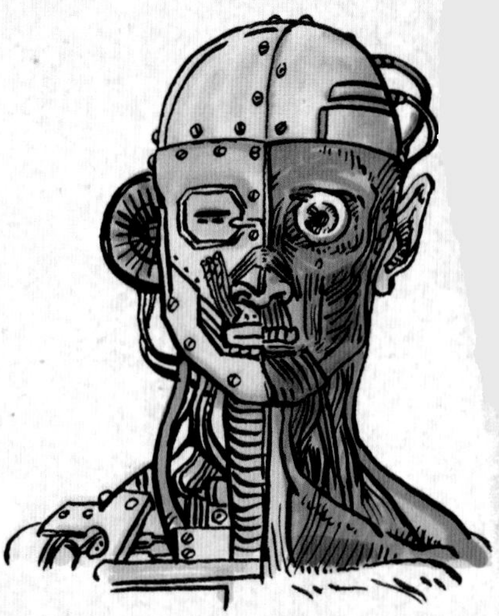

動物と植物にとって、
自らを変える試みは強い力を持っている。
しかし、変態を経たあとも
人間性は保たれるのだろうか?

未来の人間

夢の変態

1756年、フランスの医師シャルル=オーギュスタン・ヴァンデルモンドは、犬や牛や馬を生産者の需要に応じて変えたように「人類を改良する」説を提案した。異なる種を交雑させることで家畜が改良されていったことから、ヴァンデルモンドは人間においても、長所を取り出すためには交雑が有効だと主張した。彼はフランスの初期の優生学者の1人に数えられているが、後世の優生学者と比べるとおそらく人種差別思想はあまりなかったと考えられる。後世の優生学者は、とりわけ標準型から逸脱した人々を駆逐しようとした。だがヴァンデルモンドの思想はむしろ、健康な子どもを産むために両親を利用し、結果的に人類の「改良」を行うという衛生に関する論説だった。

当時、このテーマの研究者は多かった。クロード・キレによる『カリペディアもしくは美しい子どもを産む方法』(1655年に英語で出された書籍の翻訳版として1749年に出版)、1801年に「gonocritie」という性別の産み分け技術を推奨した産科医のジャック=アンドレ・ミヨーによる『人類を改良・改善する方法[*L'Art d'améliorer et de perfectionner les hommes*]』、同じく医師のモレル・ド・ルバンプレによる『生殖の秘密、もしくは男女の産み分け方法、賢い子ども、才能にあふれ美しく健康で丈夫な子どもを産む方法』(1829年)といった出版物が見られた。当初、これらの書籍は若い男女の教育を目的としていたが、しばしば人類の行末をも扱うようになった。

19世紀、「人間の堕落」や「人類の退化」が危惧されはじめるにつれて、人類の改良というテーマがしだいに重要性を増していった。1857年のベネディクト=オーギュスタン・モレル医師による『人類の肉体・知能・道徳的な退廃と病的な変化を起こした理由』では、人類の「絶滅」までもが論じられるようになった。医師たちの多少なりとも無邪気な妄想は、ゴビノーやヴァシェ・ド・ラプージュをはじめとする作家の明らかに人種差別的な計画と融合した。こうした書籍は優生学の発展に重要な役割を果たした。

1918年、軍医のシャルル・ビネ=サングレは『人間牧場［*Le Haras humain*］』という本を出版し、「厳格な衛生に則った生殖」のための合理的な婚姻を推奨した。彼は徹底的な実験の末に身体的・精神的に質の高い種を人間牧場に集め、「国家的エリートであると同時にいままでにない種人間」を生み出そうと考えた。ビネ=サングレの統計学上の計算によると「年間4320人のエリート女性が妊娠する」。彼は馬の牧場から得た結果とブルターニュのいくつかの島の人口を観察した結果をもとに、父系の血族間の妊娠や近親相姦さえも推奨した。「（近親相姦によって生まれた子は）愛情、少なくとも性欲によって生まれた子を凌駕するので、近親相姦に対する性的嫌悪感があったとしても我慢したほうがいい」と主張している。当然ながら、少なくとも認可された生殖者には「刑法の姦通罪」が適応されなくなる。ビネ=サングレは、同時に「人生に疲れた落伍者を窒素酸化物や一酸化窒素で安楽死させる優生学研究所」の創設も推奨した。このように「遺伝学」は、「動物的な性交から生じる虚弱者、病人、精神病患者、犯罪者、秩序に従わない人、信心深い人、扇動者、良心のない政治家、無能な政治家や管理者」を駆逐し、「丈夫で、調和が取れていて、賢く、健康で、善行を行える人間性」を生み出すのを可能にした。このような分類をしたビネ=サングレは、『プログレ・メディカル』誌に批評記事を寄せている。

すべての優生学者が優生学の学説をあらゆる分野に発展させたわけではないが、優生学者の多くはダーウィンの進化論の偏った解釈を論拠にしていた。優生学者は人間社会にも自然淘汰を適用したのだ。ダーウィン自身は、人間の進化は利他主義の発展と密接に関連していると考えていて、人間社会での自然淘汰に関してはつねに否定していた。だが、優生学を信奉する人々は、金銭的・医学的に恵まれない人への手助けは彼らが消滅に向かう「自然」の選別機能を狂わせるため、避けるべきだと考えた。さらに、そうした人は「生まれながらに」貧しく、一般的に金持ちよりも多くの子どもがいるために、社会全体を下方へ押し流す。こうして優生学は、周囲の貧しい人と他者を排斥する外国人嫌悪や急進的自由主義といった同様の考えを持つ思想と結びついた。

当時最も影響力のあった優生学者の1人に、1912年にノーベル生理学・医学賞を受賞したアレクシス・カレルがいる。カレルは有名な著書『人間――この未知なるもの』で、自身の学説を発展させた。「たった1つの人種が優れたパーツを再生産すべきなのは明らかだ（中略）優生学は文明化された人種の運命に大きな影響を行使することができる（中略）本当は、狂人や精神虚弱者や癌患者を先祖に持つ人は結婚すべきではないのだ」。カレルは自由意志による優生学によって「遺伝的・生物学的優位者」を生み出そうと呼びかけた。

1900～1939年には優生法が多くの国で採択された。アメリカ、ノルウェー、スイス、そしてもちろんナチス・ドイツ。軽犯罪者、アルコール依存症患者、精神病患者、病人、先天的異常者のなかから選ばれた数十万人が不妊手術を受けた。第2次世界大戦中、ナチスはドイツ国民の質を高めるのに望ましいとされた性交を優遇するために「積極的」優生学計画を実施した。「純粋なアーリア人」の始祖をつくるための管理された生殖計画の一環として、生命の泉と呼ばれた収容所で数千人の子どもが生まれた。

戦後になると、優生学はナチスの恐ろしい行為と結びつけられて、「進歩主義」の輝きを完全に失った。しかし不妊手術の計画はその後も長く残り、アメリカでは1972年まで、スウェーデンでは1976年まで続いた。結局、生まれる子どもの遺伝子を操作する技術が現実味を帯びてきたことで、多くの国が不妊手術をやめた。

今日でも、人間をつくり変えたいという欲求は根強い。優生学の試みはいまだに盛んで、深刻な遺伝性の病気を駆逐したり、「良い」特性を持った子どもが生まれる手助けをしたりするために用いられている。どちらのケースでも胚の遺伝子操作から得られる利益には、現実的な根拠がなく危険だ。とりわけ、操作が思わぬ結果を引き起こすこと、またそうした偶発的な出来事が過小評価されていることも危険を生む原因である。胚を性別で選り分ける単純な行為だけでも、こうした実験を進めてきたインドや中国といった国で深刻な人口学的問題を引き起こしているのだから。

だが、改良計画を行うのは遺伝学だけではない。科学技術は、新しい生物学的で技術的な人間の改良モデルをほのめかしている。バイオテクノロジーやナノテクノロジーや情報科学や脳科学との連携は、臓器が無限に再生し、精神的・肉体的な能力が驚異的に向上するという劇的な変態を人間に約束してくれる。数年前から、こうした「トランスヒューマニスト」的な予言が映画界、文学界、医薬品の多国籍研究所を侵食しはじめた。株細胞の自己移植によって「修復された」人間は、マイクロチップを埋め込まれた「拡張人間」を予示している。そうなれば脳はスーパーコンピュータとつながり、体は外骨格によって支えられるようになるだろう。トランスヒューマニズムの先駆者によれば、このような人間の手による人間の変態《オートメタモルフォーゼ》は、つねに機械の「人間化《ヒューマニゼーション》」にたどり着く。人間化した機械はそれ自体が意思を持ち、合理的な判断を下したり、感情を感じられるようになったりする。

もちろん、誰もが「燦然と輝く」未来を信じているわけではない。なかには、出口のないテクノロジーの道もあるだろう。また、もしもエリート層のみにこうした変態が起こるとすれば、新しい形の優生学になってしまう。とりわけ、「新しい人間」をつくろうという試みが、変化を義務付けられて順応できなかった人々を排斥する場合が多いという点も忘れてはならない。20世紀の中国やカンボジアでは実際に排斥が起こった。

いくつかのバイオテクノロジーの研究が有望だとしても、大部分の人間が日常生活で遭遇する実際的な困難、地球の生態系の問題、外交問題を解決することはできない。医学や技術の進化が進むにつれて、もっと質素な別のタイプの変態が現実に近づいてきている。個人的でありながら同時に集団的なそうした変態は、人間を取り巻く世界や動物と人間のかかわりを変え、私たちが何者なのかという視点を変える方向へ人間を導いていくだろう。

かつて、人間は
修理されて
数を増やしていた……。

参考文献

Abernathy Robert, *L'axolotl*, in *Histoires de cosmonautes*, Livre de Poche, 1974

Apulée, *L'âne d'or*

Argentré (d') Bertrand, *L'Histoire de Bretagne* Rennes, 1582

Bernardin de Saint-Pierre, *Études de la nature*, T 5, Paris, 1792

Berthelot Francis, *La métamorphose généralisée : du poéme mythologique a la science-fiction*, Nathan,1993

Blondel Jacques, *Dissertation physique sur la force de l'imagination des femmes enceintes sur le fetus*, Leyde, 1737

Bodin Jean, *De la démonomanie des sorciers*, Anvers, 1586

Boguet Henry, *Discours execrable des sorciers*, Rouen, 1606

Bonnecase Denis et Anne-Marie Tatham, *La métamorphose : definitions, formes, themes*, Gerard Monfort, 2009

Bourquelot Felix, *Recherches sur la lycanthropie*, Paris, 1849

Bressy Joseph, *Theorie de la contagion et son application a la petite verole, a la vaccine, a leurs inoculations et a l'hygiene*, Paris, an XII

Buffon, *Histoire naturelle*, Paris, 1749, 1769 et 1783

Calmet Augustin, *Dictionnaire historique, critique, chronologique, geographique et litteral de la Bible*, Paris, 1730

Calmet Augustin, *Traite sur les apparitions des esprits, et sur les vampires ou les revenans de Hongrie, de Moravie*, Senones, 1759

Carrel Alexis, *L'homme, cet inconnu*, Paris, Plon, 1935

Charnier Brigitte, *Le temps marqueur de la tradition orale*, Universite Stendhal 3, Grenoble

Chateaubriand (de) Francois-Rene, *Memoires d'outre-tombe*, Paris, 1821

Claude Quillet, *La Callipedie, ou la maniere d'avoir de beaux enfans*, Amsterdam, 1749

Cortazar Julio, *L'axolotl*, in *Armes secretes*, Gallimard, Paris, 1963

Cousin-Despreaux Louis, *Les lecons de la Nature ou L'histoire naturelle, la physique et la chimie presentees a l'esprit et au coeur*, Paris, 1829

D. (*d'Aulnoy*) Madame, *La Biche au Bois* in *Contes nouveaux ou Les Fees a la mode*, Paris, 1698

Darribeau-Remond Cécile, *De l'homme et de l'animal : quelques métamorphoses dans la litterature arthurienne des XIIe et XIIIe siecles*, Litterature, 2007

Darrieussecq Marie, *Truismes*, P.O.L, 1996

Darwin Charles, *De la variation des animaux et des plantes sous l'action de la domestication*, Paris, 1868

Darwin Charles, *La filiation de l'homme et la selection liee au sexe*, Champion Classiques, 2013

Darwin Charles, *Vie et correspondance*, Paris

Delisle de Sales Jean, *De la philosophie de la nature, ou traite de morale pour l'espece humaine*, Londres, 1777

Dietrich, M. R., *Richard Goldschmidt: hopeful monsters and other《heresies》*.– Nature Reviews Genetics, 4: 68–74, 2003

Drogi Pierre et Ambre Dubois, *Métamorphoses*, Le Pommier, 2008

Duret Claude, *Histoire admirable des plantes et herbes esmerveillables et miraculeuses en nature*, Paris, 1605

Fabre Jean-Henri, *Souvenirs entomologiques*, Paris, 1879

Fabry-Tehranchi Irene, *Comment Merlin se mua en guise de cerf*, www.revue-textimage.com

Fenelon, *Dialogues des morts* Figuier Louis, *Le lendemain de la mort, ou La vie future selon la science*, Paris, 1904

Figuier Louis, *Les insectes*, Paris,1867

Fischer Jean-Louis, *Buffon et les theories de la generation au xviiie siecle*, Eduscol, 2003

France (de) Marie, *Lais de Marie de France*, traduction, presentation, traduction et notes de Laurence Harf-Lancner. Paris, Librairie generale francaise, 1990

Frontisi-Ducroux Francoise, *L'hommecerf et la femme-araignee : figures grecques de la métamorphose*, Gallimard, 2003

Fuzelier, Louis et Legrand, Marc- Antoine, *Les animaux raisonnables* in *Les contemporains de Moliere, recueil de comedies rares ou peu connues, jouees de 1650 a 1680, avec l'histoire de chaque theatre*, Firmin Didot, Paris, 1863,

Gabriel Jouard, *Des monstruosites et bizarreries de la nature*, Paris, 1806

Garasse Francois, *La doctrine curieuse des beaux esprits de ce temps ou pretendus tels, contenant plusieurs maximes pernicieuses a l'Estat, a la religion, & aux bonnes Moeurs, combattue et renversee par le P. Francois Garasssus de la Compagnie de Iesus*, Paris, 1623

Geoffroy Saint-Hilaire Etienne, *Principes de philosophie zoologique*, Paris, 1830

Geoffroy Saint-Hilaire Isidore, *Essais de zoologie generale ou Memoires et notices sur la zoologie generale, l'anthropologie et l'histoire de la science*, Paris, 1841

Goethe (von) Johann Wolfgang, *La métamorphose des plantes*, Geneve, 1829

Gould Stephen J., *Le pouce du panda*, Seuil, 1980

Grange Isabelle, *Métamorphoses chretiennes des femmes-cygnes: Du folklore a l'hagiographie*, Ethnologie francaise nouvelle serie, T. 13, No. 2 (avril-juin 1983), pp. 139-150

Grimm Jacob et Wilhelm, *Le Roi-Grenouille*, in *Contes*

Harf-Lancner Laurence, *Métamorphose et bestiaire fantastique au Moyen age*, Ecole normale superieure de jeunes filles, 1985

Homere *Odyssee* livre X

Joubert Laurent, *Erreurs populaires et propos vulgaires touchant la medecine et le regime de sante*, Paris, 1586

Kafka Franz, *La métamorphose*

Lacoste Jean, *La métamorphose des plantes*, Litterature 86-2, 1992

Lajoux Jean-Dominique, *L'homme et l'ours*, Glenat, 1996

Lamarck (de) Jean-Baptiste, *Philosophie zoologique*, Paris, 1809.

Langelaan George, *La mouche* in *Nouvelles de l'Anti-Monde*, Marabout, 1966

Le Fanu Sheridan, *Carmilla*

Le Goff Jacques et Le Roy Ladurie Emmanuel, *Melusine*

maternelle et defricheuse. Annales. Economies, Societes, Civilisations Annee 1971 Volume 26 Numero 3 pp. 587-622

Le Guin Ursula, *La main gauche de la nuit*, Le Livre de Poche, 2006

Leonard Jacques, *Les origines et les consequences de l'eugenique en France*, Annales de demographie historique, 1985-1, 1986

Levi Nicolas, *Le De Rervm Natvra de Lucrece, ou la subversion epicurienne de la revelation pythagoricienne des Annales d'Ennius*, Revue de philologie, de litterature et d'histoire anciennes 1/2008 (Tome LXXXII) , p. 113-132

Lorrain Jean, *La Forêt bleue*, Alphonse

Lemerre, Paris, 1882

Lucrece, *De la nature*

Luzel Francois-Marie, *Contes populaires de Basse-Bretagne*, Paris, 1887

Maillet (de) Benoît, *Telliamed ou Entretiens d'un philosophe indien avec un missionnaire françois sur la diminution de la mer, la formation de la terre, l'origine de l'homme, etc.*, Amsterdam, 1748

Menabrea Leon, *De l'origine, de la forme et de l'esprit des jugements rendus au Moyen-Age contre les animaux*, Chambery, 1846

Métamorphoses, Cahiers de litterature orale N°55, 2004

Michelet Jules, *Histoire de France au dix-septieme siecle: Henri IV et Richelieu*, Paris,1857

Nicolas Malebranche, *De la recherche de la verite, Livre 2 : De l'imagination*, Paris, 1675

Nynauld (de) Jean, *De la lycanthropie, transformation et extase des sorciers*, Paris, 1615

Olaus Magnus, *Histoire des pays septentrionaus*, Anvers, 1561

Olivier Guillaume-Antoine, *Encyclopedie methodique. Histoire naturelle. Insectes*, Paris, 1791

Pairet Ana, *Les mutacions des fables, Figures de la métamorphose dans la litterature francaise du Moyen Age*, Champion, 2002

Pare Ambroise. *OEuvres*. Paris, 1582

Pasteur Louis, *OEuvres, reunies par Pasteur Vallery-Radot, tome VI*, Paris, 1933

Pastoureau Michel, L'ours, *Histoire d'un roi dechu*, Seuil, 2007

Platon, *Timee ou de la nature*, Pline l'ancien *Histoire naturelle Livre huit*

Plutarque, *OEuvres morales. Que les betes ont l'usage de la raison*

Poirotte Clemence & al., *Morbid attraction to leopard urine in Toxoplasmainfected chimpanzees*, Current biology, 26-3, 2016

Pouchet Felix-Archimede, *L'univers : les infiniment grands et les infiniment petits*, Paris, 1868

Pouchet Felix-Archimede, *Nouvelles experiences sur la generation spontanee et la resistance vitale*, Paris, 1864

Princesse-Grenouille (La), La Farandole, 1976

Quatrefages (de) Armand, *Métamorphoses de l'homme et des animaux*, Paris,1862

Reaumur (de) Rene, *Memoires pour servir a l'histoire des insectes*, Paris, 1736

Robert le jeune, *Essais sur la megalanthropogenesie ou l'art de faire des Enfans d'esprit, qui deviennent de grands-hommes*

Robinet Jean-Baptiste, *Vue philosophique de la gradation naturelle des formes de l'etre, ou les essais de la nature qui apprend a faire l'homme*, Amsterdam, 1768

Schmitt Stephane, *L'oeuvre de Richard Goldschmidt : Une tentative de synthese de la genetique, de la biologie du developpement et de la theorie de l'evolution autour du concept d'homeose*, Revue d'histoire des sciences, 53-3, 2000

Sebillot Paul, *Le folklore de France, T.3 La Faune et la Flore*, Paris, 1904

Sebillot Paul, *Traditions et superstitions de la Haute-Bretagne*, Paris, 1880

Sevigne (Marie de Rabutin-Chantal, marquise de), *Lettres de Madame de Sevigne, de sa famille et de ses amis*, Hachette, Paris, 1862

Stépanoff Charles, *Devenir-animal pour rester-humain. Logiques mythiques et pratiques de la me´tamorphose en Sibe´rie me´ridionale*, Images Revues, 6-2009, www.imagesrevues.revues.org

Stoker Bram, *Dracula*

Swammerdam Jean (Jan), Histoire générale des insectes, Utrecht, 1682

Urbani Brigitte, *Vaut-il《mieux mille fois etre anes qu'etre hommes》? Quelques reecritures de La Circe de Giovan Battista Gelli*, in Chroniques italiennes, Etudes reunies par Denis Ferraris et Daniele Valin, Universite de la Sorbonne Nouvelle, 2002

Uvier Jean (i.e. Johann Wier), *Cinq livres de l'imposture et tromperie des diables : des enchantements & sorcelleries*, Paris, 1569

Van Helmont Jan Baptist, *Les oeuvres de Jean Baptiste Van Helmont traittant des principes de medecine et physique pour la guerison assuree des Maladies. De la traduction de M. Jean Le Conte*, Lyon, 1670

Vandermonde Charles Alexandre, *Essai sur la maniere de perfectionner l'espece humaine*, Paris, 1756

Vanini Neapolitani, Iulii Casaris, *De admirandis naturae reginae deaeque mortalium arcanis*, Lutetiae, 1616

Vaugeois J. F. Gabriel, *Histoire des antiquites de la ville de L'Aigle et de ses environs*, L'Aigle, 1841

Ville (de) Charles Emanuel, *Estat en abrege de la justice ecclesiastique et seculiere du pays de Savoye*, Chambert, 1664

Viret Pierre, *Dialogues du desordre qui est a present au monde*, Geneve, 1545

Viret Pierre, *Métamorphose chrestienne, faite par dialogues*, Geneve, 1561

Voltaire, *Dictionnaire philosophique*, Londres, 1769

著者紹介

ジャン＝バティスト・ド・パナフィユー

自分にも蛹を経るタイプの完全変態が起こるのではないかと危惧したことはないが、パナフィユーは実際にいくつもの変態的な脱皮を経験している。とりわけ思春期の終わりに起こった変態では、体毛が生えてつねに眼鏡をかけるようになった。その後、自然科学の教師の職を捨てて、サイエンティスト作家になるという変態も体験している。

自然や科学に関する子ども向けや一般向けの書籍を約60冊執筆。さらに展覧会やボードゲームの企画発案、SFのシナリオや小説の執筆、講演会の開催など、生命の進化、先史時代、エコロジー、食事、動物といった愛してやまないテーマを中心に活動している。

【近年の著作】

『L'Éveil［覚醒］』ガルフ・ストリーム刊、2016年
『Les bêtes arnaqueuses, copieuses, trompeuses［ペテン、偽物、錯覚の動物たち］』アンヌ＝リーズ・コンボーと共著、ガルフ・ストリーム刊、2016年
『Chapeau, cerveau !［脳、帽子!］』カステルマン刊、2015年
『La grande aventure de l'évolution［進化の大冒険］』ミラン刊、2014年
『Créatures fantastiques Deyrolle［幻の生物］』カミーユ・ランヴェルサッドと共著、プルーム・デ・キャロット刊、2014年（『異形の生態　幻想動物組成百科』）
『Histores de squelettes［骨格の話］』、ガリマール刊、2012年
『Humanimal Notre zoo intérieur［動物人間　人間の内なる動物園］』ガルフ・ストリーム刊、2010年
『Évolution［進化］』グザヴィエ・バラル刊、2011年（『骨から見る生物の進化』）

カミーユ・ランヴェルサッド

ダンディな幻獣貴公子一族の出身（いまでは彼が唯一の生き残り）の変幻自在のアーティスト。才気煥発で好奇心にあふれ、冒険へのあくなき欲求に駆られ、とても過酷な環境にも耐えうる体毛を持っている。孤独を好み非社交的で、何かに囚われるのは我慢がならないが、毛並みを逆撫でしないように気をつければ、ほぼ手なづけることができる。

リヨンに居を定めたが、狩場はすべての大陸、赤道直下といったまったく違う場所に置いた。そうそう、月にあるコンダミーヌ・クレーターも忘れてはならない彼の狩場のひとつだ。奇妙な生き物の肉に目がなく、生もしくはミイラ状態でも食べる。おもに未確認生物学に列挙される珍しい動物と対峙して、ヒマラヤのイエティやステップ地方のピグミーマンモスに特殊な愛情を発揮する。一方で、ランヴェルサッドはドードー（学名*Raphus cucullatus*）を最終的に絶滅させたとして非難を受けている。彼は自身を苛む良心の呵責を鎮めるために、あらゆる手段を使ってドードーを再生しようと試みたのだがうまくいかなかった。水陸を問わず活動するランヴェルサッドは、ぶにゅっとした海棲怪物や映画『ライフ・アクアティック』でスティーヴ・ズィスーが乗っていた潜水艇を探して、海を探検した。この映画の熱狂的なファンだったようだ。

ピエール・デュボア、リオネル・イニャール、フレデリック・リザック、さらには本書のジャン＝バティスト・ド・パナフィユーといった作家たちと組んで、半・自然的な出版の世界にも進出。偉大な古生物学者のエリック・ビュフェトーも、パレオポリス美術館の近くでドードーの翼を素描していたランヴェルサッドを見て、決死の覚悟で接近した。パレオポリス美術館に展示されている映写機に記録されたドードーは、とてもくつろいでいるように見えた。この鳥は、ヴァンサン・マリエット監督の『Tristesse Club』の製作陣の手によって、映画内の美術に密かに使用された。

時折、ランヴェルサッドは同胞とつるんで、猟犬を使った狩りをする。特に、ランヴェルサッドが現れるのは、ブロワにあるドミニク・マルケ（ダンディな魔術師）の領地だ。ランヴェルサッドは歌手のリーズとともにロンドンからここへ移り住んだのだが、ひどい呪いにかけられて狼男に変態し、恐ろしい熊に囚われてしまった。そしてパリ、ブーローニュの動物園の屋外の檻に展示されて、2週間草食生活を余儀なくされた。そのときにいっしょに暮らしていたのが、若い台湾人カメラマンの阮芊菡だ。結局、ランヴェルサッドはリヨンの知識人仲間に誘われて、リヨン自然史博物館一周年の集まりで、同種の女性であるブランシュ・ベルトリエ、姿が似ているハイブリッド種のダミアン・リゴとともに大衆に紹介された。近年は、妹のアナイス・ランヴェルサッドと組んで、グルノーブル自然史博物館で開催された「人間・怪物、これは普通なのか?」という人間のなかの動物的な特異性に関する展示に力を注いだ。

【著作】

『Créatures fantastiques Deyrolle［幻の生物］』ジャン＝バティスト・ド・パナフィユーと共著、プルーム・デ・キャロット刊、2014年（『異形の生態　幻想動物組成百科』）

『Dans la chambre des merveilles, Catalogue d'exposition du musée des Confluences［驚異の部屋、融合博物館展のカタログ］』フラマリオン刊、2014年

『La Malédiction des loup, une enquête du Club des Chasseurs de l'Étrange［オオカミの呪い　驚異の動物狩猟クラブの調査結果より］』、フレデリック・リザックと共著、プティット・プルーム・デ・キャロット刊、2012年

『Monstres marins, et autres créatures des eaux sombres［海の怪物と深海の生物たち］』フレデリック・リザックと共著、プティット・プルーム・デ・キャロット刊、2011年

『L'herbier fantastique, recherches sur la botanique étrange et néanmoins véritable［空想の植物標本　奇妙だけど本物の植物研究］』リオネル・イニャールと共著、プルーム・デ・キャロット刊、2010年

『Dragons et Chimères, carnets d'expédition［ドラゴンと怪獣　探検ノート］』ピエール・デュボアと共著、オベック刊、2008年

【著者】

ジャン＝バティスト・ド・パナフィユー

Jean-Baptiste de Panafieu

1955年生まれ。パリ第6大学出身。自然科学の教授資格と海洋生物学の博士号を持つ。ガリマール・ジュネス、ミラン、ナタンの各出版社より、科学の解説書を多数発表している。近年は大学を離れ、ドキュメンタリー・フィルムの監督および脚本家としても活躍している。邦訳に『異形の生態』、『骨から見る生物の進化』（共著）がある。

【画】

カミーユ・ランヴェルサッド

Camille Renversade

2006年、リヨンの美術学校エコール・エミール・コール卒業。幻獣研究家、怪物デッサン画家。異国や失われた世界への探求をつづける。共著に『異形の生態』、『ドラゴンと怪獣［*Dragons et Chimères*］』、『空想の植物標本［*Herbier Fantastique*］』などがある。

【翻訳】

河野彩

こうの・あや

仏語翻訳者。学習院大学フランス語圏文化学科卒、一橋大学言語社会研究科博士前期課程修了。訳書にレッソン『グラフと地図で知るこれからの20年』、クラスニアンスキ『主治医だけが知る権力者』（以上共訳）、ラッジカクほか『目に見えない微生物の世界』など。

MÉTAMORPHOSES DEYROLLE

Textes de Jean-Baptiste de Panafieu
Planches de Camille Renversade

図説《ずせつ》 異形《いぎょう》の変態《へんたい》

幻想動物変異百科《げんそうどうぶつへんいひゃっか》

2022年12月26日　第1刷

著者…………ジャン＝バティスト・ド・パナフィユー

画…………カミーユ・ランヴェルサッド

訳者…………河野彩《こうのあや》

装幀…………岡孝治

発行者…………成瀬雅人
発行所…………株式会社原書房

〒160-0022 東京都新宿区新宿 1-25-13
電話・代表 03（3354）0685
http://www.harashobo.co.jp
振替・00150-6-151594

印刷…………シナノ印刷株式会社
製本…………東京美術紙工協業組合

ISBN978-4-562-07241-5, Printed in Japan